罗尔德·达尔
ROALD DAHL

查理和大玻璃升降机

刘海栖／主编

[英] 罗尔德·达尔／著

[英] 昆廷·布莱克／绘

任溶溶／译

明天出版社

图书在版编目（CIP）数据

查理和大玻璃升降机/[英]达尔（Dahl,R.）著；任溶溶译.–济南:明天出版社，
2009.3（2017.5重印）

（罗尔德·达尔作品典藏）

ISBN 978–7–5332–5960–0

Ⅰ.查… Ⅱ.①达… ②任… Ⅲ.童话—英国—现代 Ⅳ.I561.88

中国版本图书馆 CIP 数据核字（2009）第 001364 号

责任编辑：凌艳明

美术编辑：于 洁

查理和大玻璃升降机 罗尔德·达尔作品典藏

[英] 罗尔德·达尔/著 [英]昆廷·布莱克/绘 任溶溶/译

出版人/傅大伟

出版发行/山东出版传媒股份有限公司
明天出版社

地址/山东省济南市胜利大街39号

http://www.sdpress.com.cn http://www.tomorrowpub.com

经销/各地新华书店 印刷/临清市万方印务有限公司

版次/2009 年 3 月第 1 版 印次/2017 年 5 月第 35 次印刷

规格/148 毫米×202 毫米 32 开 印张/6.625 千字/79

ISBN 978–7–5332–5960–0 定价：20.00 元

山东省著作权合同登记号：图字 15–2008–109 号

如有印装质量问题，请与出版社联系调换。 电话：（0531）82098710

人物介绍

威利·旺卡先生

约瑟夫爷爷

查理·巴克特

蒂布斯小姐

巴克特先生和太太

美国总统
兰斯洛特·R·吉利格拉斯

罗尔德·达尔，不只讲述精彩的故事……

罗尔德·达尔有以下身份：间谍、王牌飞行员、巧克力历史学家，以及魔药发明家。他也是《查理和巧克力工厂》《玛蒂尔达》《好心眼儿巨人》和其他许多精彩故事的作者，到今天为止，他依然是世界上最会讲故事的人。

罗尔德·达尔说："要是你心灵美的话，这种美就会像阳光一样在你的脸上闪耀，你看上去便总是那么可爱。"

我们相信行善是重要的事。因此，我们用罗尔德·达尔总收入的10%成立了数个慈善机构。这些慈善机构致力于培养专业的病童看护人员，补助有需要的家庭，或是推广教育。感谢您的捐助，因为它使得我们能够持续做重要的事，帮助有需要的人。

想了解更多慈善机构的运作方式，请登录www.roalddahl.com。

罗尔德·达尔慈善信托基金是正式注册的英国慈善机构，注册号为1119330。
*作者的版税收入已经扣除第三方的佣金。

目　录

1 旺卡先生飞得太高了

我们上次看到查理时，他正乘着大玻璃电梯高高地飞在他家乡的市镇上空。那是不久以前，即旺卡先生告诉他说，整座惊人的巧克力大工厂现在全归他所有了之后的事。如今我们这位小朋友正带着全家人乘电梯奏凯而归去接收这座工厂。只是为了再提醒诸位一次，我现在把电梯里的全体乘客再介绍一遍：

查理·巴克特：故事的主人公。

威利·旺卡先生：出色的巧克力制造商。

巴克特先生和太太：查理的爸爸和妈妈。

约瑟夫爷爷和约瑟芬奶奶：巴克特先生的爸爸和妈妈。

乔治姥爷和乔治娜姥姥：巴克特太太的爸爸和妈妈。

约瑟芬奶奶、乔治娜姥姥和乔治姥爷躺在床上。这张床是在电梯正要起飞时被推进去的。诸位一定还记得，约瑟夫爷爷早已下床，还陪着查理去参观了那座巧克力工厂。

　　大玻璃电梯在一千英尺高空，正在良好的状态下飞行。天空一片湛蓝。在电梯里，每个人想到即将住进著名的巧克力工厂就激动万分。

约瑟夫爷爷在唱歌。

查理在蹦蹦跳跳。

巴克特先生和太太多年来第一次露出笑容。

床上三位老人家龇着没牙的粉红色牙龈相对而笑。

　　"是什么使得这个发疯的东西飘在空中啊？"约瑟芬奶奶哇哇地叫道。

"老太太",旺卡先生说,"这个东西不再是电梯了。电梯只能在大厦里面升降,但这一架把我们带上了天空,它已经成了一架升降机——一架**大玻璃升降机**。"

"是什么东西使它逗留在天上呢?"约瑟芬奶奶问道。

"是天钩。"旺卡先生答道。

"你的话使我觉得太奇怪了。"约瑟芬奶奶说。

"亲爱的老太太,"旺卡先生说,"你只是少见多怪。等到你和我们在一起多待一会儿,就什么东西也不会再使你觉得奇怪了。"

"这些天钩,"约瑟芬奶奶说,"它用一头钩住了我们正乘着的这个新奇玩意儿,对吗?"

"对。"旺卡先生说。

"那么另一头钩住什么呢?"约瑟芬奶奶又问。

"我的耳朵一天比一天聋了,"旺卡先生说,"回去以

后，请别忘了提醒我去看耳科医生。"

"查理，"约瑟芬奶奶说，"我实在不太信任这位先生。"

"我也不信他，"乔治娜姥姥说，"他胡天胡地的。"

查理向床上俯下身去，在两位老太太耳边悄悄地说："请不要扫兴。旺卡先生虽然是一位怪人，但他是我的朋友。我喜欢他。"

"查理说得对。"约瑟芬奶奶插进来悄悄地说，"安静些，不要找麻烦。"

"我们得快一点！"旺卡先生说，"我们花了那么多时间，路却走得那么少！不行！等一等！换个办法！把它倒过来！谢谢！现在我们回工厂去！"他拍了一下手，在空中跳了两英尺高，大声叫道，"我们要飞回工厂！但是下去以前必须先上去。我们必须愈飞愈高！"

"我怎么跟你们说的？"约瑟芬奶奶说，"这个人简直疯了！"

"别吵，约瑟芬，"约瑟夫爷爷说，"旺卡先生完全知道他在做什么。"

"他疯得像一只螃蟹！"乔治娜姥姥说。

"我们必须飞得更高！"旺卡先生说，"我们必须飞得非常非常高！抱着你们的肚子吧！"他按下一个棕色的按钮。升降机一阵颤动，接着发出可怕的嘘嘘声，像火箭那样呼地直冲云霄。所有的人紧紧靠在一起。大升降机不断加速，机外呼呼的风声愈来愈响，愈来愈凄厉，最后还发出刺耳的呼啸声，机内的人说话想让别人听见，得扯着嗓子大叫大嚷。

"停下来！"约瑟芬奶奶哇哇叫道，"约瑟夫，快让它停下来！我要下去！"

"救命啊！"乔治娜姥姥哇哇大叫。

"下去！"乔治姥爷哇哇大叫。

"不！不！"旺卡先生也哇哇大叫着回答，"我们必须上去！"

"为什么？"他们同时叫着问，"为什么要上去而不是下去？"

"因为在愈高的地方开始降落，冲撞的力度就愈大。"旺卡先生说，"我们必须用最大的力度向下冲撞。"

"我们要撞什么？"他们大叫道。

"那还用说，当然是工厂喽！"旺卡先生回答。

"你真是荒唐到顶了，"约瑟芬奶奶说，"我们会被撞成一摊血浆的！"

"我们会像鸡蛋那样被撞碎的！"乔治娜姥姥说。

"这是我们必须采取的唯一方法。"旺卡先生说。

"你是不是在说笑话。"约瑟芬奶奶说，"你……你是在说笑话。"

"老太太，"旺卡先生说，"我从来不说笑话的。"

"哎哟！我的天啊！"乔治娜姥姥大叫道，"我们完了，一个也逃不了！"

"大有可能。"旺卡先生说。

约瑟芬奶奶尖叫着钻到被单底下，乔治娜姥姥抓住乔治姥爷，抓得那么紧，乔治姥爷连样子都变了。巴克特先生和太太两人紧抱着站在那里，吓得话也说不出来。只有查理和约瑟夫爷爷仍保持冷静。他们曾经和旺卡先生一起做过长途旅行，对于那些意想不到的事情早已有了心理准备。但大升降机不停地上升，而且愈升愈高，连查理也不由得有点紧张。"旺卡先生！"他的叫声盖过周围的喧闹声，"我不明白，我们为什么要用那样可怕的速度往下冲？"

"我亲爱的孩子，"旺卡先生回答说，"我们不用惊人的速度向下冲，就不能穿过工厂的屋顶回到地面。屋顶那么牢固，是不容易被撞出一个洞来的。"

"但是屋顶上已经有了一个洞，"查理说，"我们出来时已经撞出一个洞了。"

"那么我们必须再撞出一个。"旺卡先生说，"两个洞总比一个洞好，任何一只老鼠都能告诉你这个道理。"

大玻璃升降机愈升愈高，很快他们就看到地球上的大洲和大洋，它们像一幅地图展现在他们的脚底下，太美丽了，但这样站在玻璃地板上看下去却总叫人觉得不是味儿。现在连查理也开始感到害怕了。他紧紧拉住约瑟夫爷爷的手，抬起头担心地看老人家的脸。"我害怕，爷爷。"他说。

约瑟夫爷爷用一只手抱住查理的肩头，把他搂在怀里。"我也害怕，查理。"他说。

"旺卡先生！"查理叫道，"你不认为已经够高了吗？"

"差不多了，"旺卡先生回答说，"但还不够。现在请不

要和我说话。千万不要打搅我，在这紧要关头我必须聚精会神地看着。时机要选择得分秒不差，我的孩子，这是我们必须做到的。你看见这一个绿色按钮了吗？我必须在最合适的时刻按它。迟按半秒钟我们就会升得过高！"

"升得太高会出什么事？"约瑟夫爷爷问道。

"请不要说话，让我全神贯注！"旺卡先生说。

就在这紧要关头，约瑟芬奶奶从被单底下伸出头来，从床边往下看。透过玻璃地板可以看到整个北美洲就在近两百英里以下，看上去不比一块巧克力糖大一点。"必须有人制止这种疯狂的行为！"她哇哇大叫着，伸出一只皱巴巴的手，一把抓住了旺卡先生大礼服的燕尾，把他向后倒拉到床边来。

"不要拉，不要拉！"旺卡先生嚷嚷着要挣脱身子，"放开我！我要看看！不要打搅驾驶员！"

"你这个疯子！"约瑟芬奶奶大叫着，拼命地摇晃旺卡先生，把他摇得头昏脑涨，"快把我们送回家！"

"放开我！"旺卡先生大叫，"我必须按按钮，不然我们就升得太高了！放开我！放开我！"可是约瑟芬奶奶拉

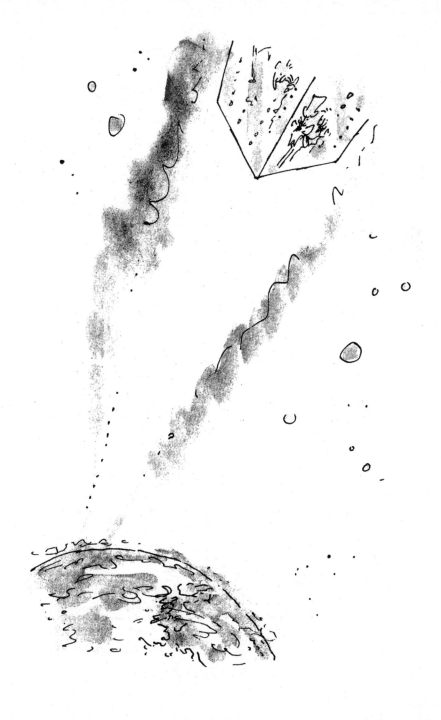

住他不放。"查理！"旺卡先生叫道，"快按按钮！绿色的一个！快！快！快！"

查理一个箭步跑上前，在那个绿色的按钮上用力一按，升降机马上发出嘎吱嘎吱的响声，上下翻转。突然，呜呜声猛地停止，四周静得很可怕。

"太晚了！"旺卡先生叫道，"噢，我的天啊！我们出事情了！"他说话时，三位老人家连同床，再加上旺卡先

生自己，全都轻飘飘地离开了地板，悬在半空中。查理和约瑟夫爷爷、巴克特先生和太太也都飘起来。一转眼工夫，所有的人连同那张床，在大玻璃升降机里像气球一样飘来飘去。

"现在瞧你做的好事！"飘浮在半空中的旺卡先生说。

"出什么事了？"约瑟芬奶奶叫起来。她已经飘离了床，穿着睡袍在升降机的天花板下盘旋。

"我们升得太高了吗？"查理问道。

"太高？"旺卡先生叫道，"当然太高！你们知道我们到哪里了？我们已经进入地球轨道！"

他们全都目瞪口呆，透不过气来。他们全都吓得说不出话来了。

"现在我们正以一万七千英里的时速在绕着地球运行。"旺卡先生说，"看它怎样吸住了你们！"

"我透不过气来！"乔治娜姥姥说，"我不能呼吸了！"

"你当然不能呼吸，"旺卡先生说，"因为这里没有空气。"他在天花板底下像游泳一样飘到一个写着"氧气"的按钮边上把它按了下去。"好了，"他说，"现在可以了。"

　　"这是一种奇怪透了的感觉，"查理说着游来游去，"我觉得自己像一个泡泡。"

　　"真了不起，"约瑟夫爷爷说，"我好像一点儿重量也没有了。"

　　"你是没有重量，"旺卡先生说，"我们全都没有重量——一盎司的重量也没有。"

　　"一派胡言！"乔治娜姥姥说，"我的重量刚好是一百三十七磅，一点也不少。"

　　"但是你现在没有了，"旺卡先生说，"一点儿重量也没有了。"

　　三位老人家——乔治姥爷、乔治娜姥姥和约瑟芬奶奶发疯似的想要回到床上去，但是都没有成功。床在半空中飘来飘去，每次到了床上要躺下去，床又飘走了。查理和约瑟夫爷爷只管哈哈大笑。"有什么好笑的？"约瑟芬奶奶说。

　　"我们终于使你们离开了床。"约瑟夫爷爷说。

　　"闭上你的嘴！快帮我们回到床上去！"约瑟芬奶奶生气地说。

"这你休想！"旺卡先生说，"你们永远也不能躺下来了，就这样快快活活地飘来飘去吧。"

"这个家伙简直是个疯子！"乔治娜姥姥叫道，"我说大家当心点，不然他要使我们全都完蛋的！"

2 美国太空旅馆

与此同时，绕着地球运行的不止是一架大玻璃升降机。两天前，美国成功地发射了它的第一家太空旅馆。这是一艘巨型的香肠形太空船，长度不少于一千英尺，名为"美国太空旅馆"，是太空时代的奇迹。这旅馆里有网球场、游泳池、体育馆、儿童游戏室和五百个带浴室的豪华客房。旅馆里有全套空调设备，还装有重力制造机，人在里面不会飘来飘去，可以正常行走。

这个惊人的物体正在离地面二百四十英里的高度绕着地球飞行。住客要由肯尼迪宇航中心发射的小太空船接送。太空船的服务时间由星期一到星期五，每小时一班。不过目前旅馆里空无一人，连一个宇航员也没有。因为没有一个人真正相信这样大的东西能离开地球而不爆炸。

但是发射非常成功，现在这家太空旅馆正安全地在轨道上运行。因此，当务之急就是送出第一批客人。传说美国总统本人将是第一批住进旅馆的客人之一，全世界各色人等自然掀起了预订客房的热潮。好几位国王和王后已经打电报向华盛顿白宫预订房间。得克萨斯州一位叫奥森·卡特的百万富翁即将和好莱坞的少女明星海伦·海沃特结婚，他愿花十万美元一天的代价租住一个蜜月套房。

但在把客人送上旅馆之前，旅馆里先要有人接待他们，因此这时候还有一个有趣的物体正在绕着地球飞行。这是一艘很大的太空运输船，它里面载着美国太空旅馆的全体工作人员，其中有经理、副经理、接待员、男女服务员、收拾房间的女侍应生、糕点面包师傅、行李搬运员等。这艘太空船由三位著名的宇航员驾驶，分别是：沙克沃思、香克斯和肖勒。他们个个英俊、聪明、勇敢。

"还有一小时，"沙克沃思用扩音器对乘客们说，"我们就要和美国太空旅馆——未来十年内你们的安乐窝——对接。现在你们向前看，就可以看到这艘特别的宇宙飞船了。哈哈！我看到那里有样东西在飞行！朋友们，那一定是宇宙飞船！百分之百是有一样东西在我们的前面！"

沙克沃思、香克斯和肖勒，还有经理、副经理、接待

员、男女服务员、收拾房间的女侍应生、糕点面包师傅、行李搬运员等，全都兴奋地望向窗外。沙克沃思发射了两颗小型火箭使太空船飞得更快，他们开始快速地追上去。

"嘿！"肖勒叫道，"那不是我们的太空旅馆！"

"神圣的老鼠！"香克斯叫道，"以古代巴比伦国王尼布甲尼撒的名义，那是什么呀？"

"快把望远镜给我！"沙克沃思叫道。他用一只手调校望远镜，用另一只手打开连接他和地面控制站的开关。

"哈啰，休斯敦！"他对着话筒叫道，"我们这里有一样东西正在发疯似的飞行！有一样东西正在我们前面沿着轨道运行，这东西不像我见过的任何宇宙飞船，我绝对没有看错！"

"马上细致描述。"休斯敦地面控制中心的人员命令说。

"这个东西……这个东西全部是用玻璃制造的，方形，里面有不少人！这些人全都在飘来飘去，像鱼缸里的鱼一样！"

"里面共有几个宇航员？"

"一个也没有，"沙克沃思说，"他们不可能是宇航员。"

"你根据什么这样说？"

"因为他们当中至少有三个人穿着睡袍！"

"不要傻了，沙克沃思！"地面控制中心的人呵斥他，"朋友，镇静下来！这是严肃的事情！"

"我对天发誓！"可怜的沙克沃思叫道，"他们当中的确有三个人穿着睡袍！两位老太太和一位老先生！我看得清清楚楚！我甚至看到了他们的脸！哎呀，他们比摩西①还要老！大概九十岁！"

"你发疯了，沙克沃思！"地面控制中心的人叫道，"现在我要解除你的职务！叫香克斯对话！"

"我是香克斯，"香克斯说，"请你听着，我的确看到了三个穿睡袍的老家伙在那古怪的玻璃箱里飘来飘去。还有一个滑稽的矮子，长着一把山羊胡子，头戴一顶黑色高顶大礼帽，身穿一件暗紫色天鹅绒燕尾服和一条深绿色裤子……"

"住口！"地面控制中心的人哇哇大叫。

"还有，"香克斯说，"还有一个小孩，大约十岁……"

---

① 摩西是《圣经》中率领希伯来人逃出埃及的首领。

"那不是小孩，你这蠢材！"地面控制中心的人叫道，
"那是一个伪装的宇航员！那是一个穿上了小孩衣服的小个子宇航员！那些老人也是宇航员！他们全都伪装了！"

"但他们是什么人呢？"香克斯叫道。

"我怎么知道？"地面控制中心的人说，"他们也向我们的太空旅馆飞去吗？"

"他们正是向那里飞去！"香克斯叫道，"现在我可以看到太空旅馆了，在前面约一英里。"

"那些人要去炸掉它！"地面控制中心的人大叫，"这是要命的！这是……"他的声音忽然被打断了。透过耳机，香克斯听到另一个完全不同的声音。这声音深沉而粗哑。

"我来负责这件事，"那深沉而粗哑的声音说，"你在太空运输船里吗，香克斯？"

"当然，"香克斯说，"但是你怎么胆敢插进来！别把你的大鼻子插到这件事上面来。你到底是谁？"

"我是美国总统。"那声音说。

"我是奥芝国的巫师①。"香克斯说，"你到底是谁？开什么玩笑？"

"不要说废话，香克斯，"总统喝令他说，"这是十万火急的国家大事！"

"真倒霉！"香克斯转脸对沙克沃思和肖勒说，"真是总统，是吉利格拉斯总统……哈啰，总统先生，你今天好吗？"

"在那艘玻璃太空船里共有几个人？"总统发出刺耳的声音问道。

"八个。"香克斯说，"全都在飘来飘去。"

"飘来飘去？"

"我们脱离了地心引力，总统先生，所以所有的东西都

---

① 奥芝国的巫师是美国儿童文学作家鲍姆（1856—1919）的童话《奥芝国的巫师》（亦译《绿野仙踪》）里的人物。

飘来飘去。我们如果不是用皮带拴在座位上，也是要飘来
飘去的，你不知道吗？"

"我当然知道，"总统说，"关于那架玻璃太空船，你还
有什么可以告诉我的？"

"里面有张床，"香克斯说，"一张双人大床，它也在飘
来飘去。"

"一张床！"总统吼叫，"谁听说过在宇宙飞船里有床
的！"

"我发誓那是一张床。"香克斯说。

"你一定是个糊涂虫，香克斯！"总统说，"你和一个
炸面包圈一样呆头呆脑！让我和肖勒说话！"

"我是肖勒，总统先生，"肖勒从香克斯手里接过话筒
说，"很荣幸能和总统你说话。"

"噢，闭嘴！"总统说，"你只要把看到的东西告诉我
就行了。"

"没错，总统先生，那的确是一张床，我从望远镜里可
以看到它。它上面有床单、毛毯、有床垫……"

"那不是床，你这个胡说八道的笨蛋！"总统大叫，"你

不明白吗？这是一个诡计！这是一个炸弹！这是一个伪装成床的炸弹！他们要炸掉我们那座顶刮刮的太空旅馆！"

"他们是谁呀，总统先生？"肖勒问道。

"别多嘴，让我想一想。"总统说。

好一会儿工夫，一点声音也没有。肖勒等得好不心焦。香克斯和沙克沃思也一样。还有经理、副经理、接待员、男女服务员、收拾房间的女侍应生、糕点面包师傅、行李搬运员等也一样。在下面休斯敦的巨大控制中心大厅，上百名控制人员对着仪器坐着，一动不动，等着听总统接下来要给宇航员们下达什么指示。

"我刚想起一件事，"总统说，"在你们上面，太空船前端有电视摄像机是吗，肖勒？"

"当然有，总统先生。"

"那么快把它打开，你这饭桶，让我们下面的人看看这个东西！"

"我竟没有想到这个好主意，"肖勒说，"你真不愧是一位总统。我这就把它打开……"他伸出手去打开太空船顶上的电视摄像机。这时候，全世界正在收音机旁倾听着的

五亿人，马上向他们的电视机扑过去。

从电视荧光屏上，他们清楚地看到了沙克沃思、香克斯和肖勒所看到的东西——一个绕着地球轨道出色地飞行的古怪的玻璃箱。玻璃箱里，虽然看得不太清楚，但确实看到了七个大人、一个小孩和一张双人大床，全都在飘来飘去。大人中有三个是光着脚，穿着睡袍的。玻璃箱再过去，就是闪闪发亮的那座银色的巨型美国太空旅馆。

但所有的人盯着看的却是这个古怪的玻璃箱和它里面的古怪生物——八名宇航员。他们身体太棒了，连宇航服也不用穿。这些人是谁？他们从哪里来？真见鬼，那外表是双人床，看上去很可怕的庞然大物又是什么？总统说它是一个炸弹，他的话也许是对的。不过他们要用它来干什么呢？于是从美国到加拿大，到苏联，到日本，到印度，到中国，到非洲，到英国，到法国，到德国，世界各地的电视观众全都开始恐慌了。

"让电视摄像机对准他们，肖勒！"总统通过无线电命令道。

"遵命，总统先生！"肖勒回答说，"我一定照办！"

3　对　接

　　在大玻璃升降机里，气氛也非常紧张。查理、旺卡先生和其他人都清楚地看到了前面约一英里处的那座银光闪闪的巨型美国太空旅馆，而后面是一艘小型（但也相当大）的太空运输船。大玻璃升降机就夹在当中（夹在这两个庞然大物之间，它就一点也不大了）。现在所有的人，包括约瑟芬奶奶在内，都很清楚发生了什么事。他们甚至知道负责那艘太空运输船的三名宇航员叫沙克沃思、香克斯和肖勒。因为这件事全世界都知道。六个月以来，报纸和电视除了报道这件事以外，差不多什么别的事都不谈，因为发射太空旅馆是本世纪的一件大事。

　　"真是幸运之至！"旺卡先生叫道，"我们竟然介入了有史以来最庞大的宇航行动中！"

　　"我们是陷入了有史以来最糟糕的困境中。"约瑟芬奶奶说，"马上向后转！"

"不，奶奶，"查理说，"我们现在必须好好看看。我们一定要看看那太空运输船和那太空旅馆是怎样对接的。"

旺卡先生飘到查理的身边。"让我们抢先一步，查理，"他跟查理咬着耳朵说，"让我们先登上太空旅馆！"

查理连气都透不过来。他咽了一口口水，接着轻轻地说："这是不可能的。我们要有各种专门的装置才能和另一艘宇宙飞船对接啊，旺卡先生。"

"必要时我这架升降机还能和鳄鱼对接呢。"旺卡先生说，"孩子，这件事就交给我吧！"

"约瑟夫爷爷，"查理叫道，"你听到吗？我们要和那太空旅馆对接，还要登上去呢！"

"万万万万万万万岁！"约瑟夫爷爷大叫，"旺卡先生，这是一个多么出色的想法呀！一个多么惊人的主意呀！"他一把抓住旺卡先生的手，像甩体温计一样摇个不停。

"你给我住手，你这个老笨蛋！"约瑟芬奶奶说，"我们已经够骑虎难下的了。我要回家！"

"我也要回家！"乔治娜姥姥说。

"万一他们来追我们可怎么办？"巴克特先生第一次开

口说话。

"万一他们捉住了我们可怎么办？"巴克特太太问道。

"万一他们开枪打我们可怎么办？"乔治娜姥姥说。

"万一我的胡子是菠菜可怎么办？"旺卡先生叫道，"都是空话，废话。老是这样'万一怎么怎么的可怎么办'，那你们就什么也办不成了。你们想想，哥伦布如果一直说'万一船在半路上沉了可怎么办'，'万一碰到海盗可怎么办'，'万一我一去不回可怎么办'，那他会发现美洲吗？他甚至不会动身去航海。我们这里不要什么'万一怎么怎么的可怎么办'，对吗，查理？那么我们动手干吧。不过等一等……这件事做起来十分棘手。我需要人帮点忙。在这升降机的不同部分有三组按钮要按。我按那边一组，那白的和黑的两个。"旺卡先生用嘴发出了一个滑稽的吹气声，然后像只大鸟一样轻轻地飘到了白按钮和黑按钮那里，他仍旧打着转说，"约瑟夫爷爷，请你靠近那边一个银色的按钮……对了，就是那个……还有你，查理，飘到靠近天花板的金色按钮那里。我必须告诉你们，每一个按钮将会从升降机外部不同的地方发射助推火箭。我们就是这样改变

方向的。约瑟夫爷爷那边的按钮控制的火箭使我们向右转；查理的按钮控制的火箭使我们向左转；我的按钮控制的火箭使我们或高或低，或快或慢。你们都准备好了吗？"

"没有，请等一等！"查理说。他飘在地板和天花板的正中间。"我可怎么上去呢？我飘不上天花板！"他拼命地划动他的手和脚，像一个溺水的人，可是怎么也飘不上去。

"我亲爱的孩子，"旺卡先生说，"在这种情况下你不能游泳。你要知道这不是水，这是空气，而且是非常稀薄的空气。没有东西可以推动你，因此你必须使用喷气推进法。你看着我。首先，你必须深深地吸气，然后把嘴鼓成一个小圆孔，再用尽力气把气喷出来。如果向下喷，你就会向上升。如果向左喷，你就会向右飞，照此类推。你也就像宇宙飞船那样飞行了，只不过你是用嘴做助推火箭。"

一下子所有的人开始练习这个飞行规则，于是整架升降机里充满了乘客吹气和哼气的声音。乔治娜姥姥穿着她的法兰绒睡袍，下面露出两条瘦骨嶙峋的光溜溜的腿，正在像犀牛那样吹气，从升降机的一头飞到另一头，一路上叫着："让开！让开！不要挡住我的路！"她以惊人的速度一头撞到可怜的巴克特先生和太太身上。乔治姥爷和约瑟芬奶奶也同样地忙活着。你能想象到地球上千百万人在电视荧光屏上看到这种疯狂的情景会怎么想。不过你必须知道，他们看不清楚。玻璃大升降机映在荧光屏上只有一颗葡萄那么大，升降机里的人就不会比葡萄核大多少，而且隔着玻璃，根本看不清。即使如此，地球上的观众还是能够看到他们像发疯似的窜来窜去，像些小虫子在玻璃盒里蠕动。

"他们在干什么呀？"美国总统看着荧光屏叫起来。

"像是跳一种什么战舞，总统先生。"肖勒通过无线电回答。

"你是说他们是印第安人！"总统说。

"我可没有那么说，总统先生。"

"噢，你说了，肖勒！"

"噢，不！我没有说，总统先生。"

"别吵了！"总统说，"你把我弄糊涂了。"

再回过头来看升降机里面吧。旺卡先生正在说："求求你们！求求你们！请停止飞来飞去！请大家保持安静，好让我们对接！"

"你这可怜的老鲭鱼！"乔治娜姥姥飘过他身旁时说道，"我们刚开始有一点儿乐趣，你就打断了我们！"

"大家看看我吧！"约瑟芬奶奶叫道，"我在飞了！我是一只金鹰！"

"我比你们哪一个都飞得快！"乔治姥爷叫着，飞来飞去，睡袍在他身后飘起来像一只鹦鹉的尾巴。

"乔治姥爷！"查理叫道，"请你安静下来。如果我们不赶快点，那些宇航员就要比我们先到一步了。你们有谁不想看看太空旅馆的内部吗？"

"别挡住我的路！"乔治娜姥姥吹着气飞来飞去，一路上大叫大嚷，"我是一架大型喷气客机！"

"你是一只傻头傻脑的老蝙蝠！"旺卡先生说。

最后，几位老人家飞累了，连气也喘不过来了，便全都静静地悬在空中。

"查理，约瑟夫爷爷，你们都准备好了吗？"旺卡先生问道。

"都准备好了，旺卡先生。"查理回答说，在天花板附近盘旋着。

"我是驾驶员，让我来下命令。"旺卡先生说，"我叫发射火箭你们才可以发射。不要忘记了自己的职责。查理，你管左舷。约瑟夫爷爷，你管右舷。"旺卡先生按下两个按钮中的一个，大玻璃升降机底下马上发射出助推火箭。升降机向前冲，但猛向右转。"用力按左舷按钮！"旺卡先生叫道。查理按下按钮，他的助推火箭发射了。升降机立即恢复正常。"慢慢地按！"旺卡先生叫道，"右舷十度……停！停！让它停在那里……"

他们很快就盘旋在巨大的银色太空旅馆尾部底下。"你们看见那道小方门吗，上面有插头的？"旺卡先生说，"那

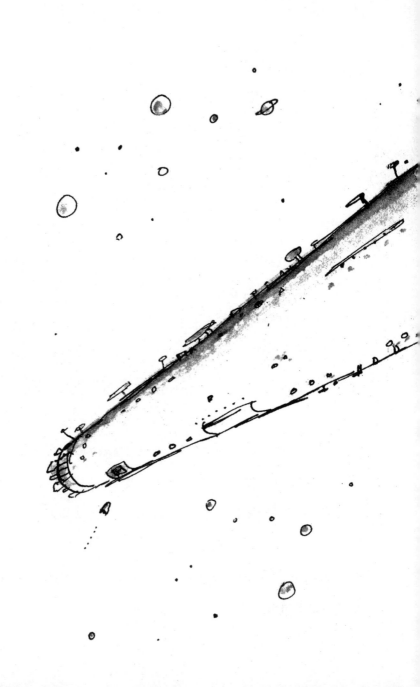

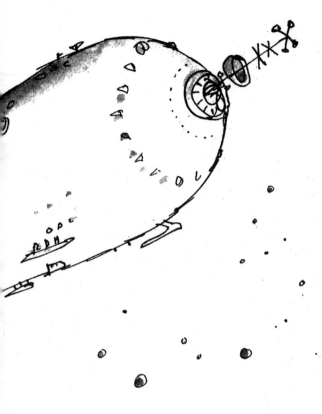

是接合口。快了……向左一点……停！向右一点！好……好……很容易，对吗？我们差不多到了……"

查理觉得他好像坐在一只小船上，在世界上最大的轮船的尾部底下。太空旅馆其大无比，像个庞然大物雄踞在他们头顶上。"我等不及了。"查理心里说，"我要进去看看它是什么样子的。"

4 总 统

在离太空旅馆半英里的地方，沙克沃思、香克斯和肖勒继续让电视摄像机一直对准了玻璃升降机。在下面，全世界千百万人围着他们的电视荧光屏，紧张地看着离地面二百四十英里的上空正在上演的大戏。美国总统兰斯洛特·R·吉利格拉斯，地球上最具影响力的人物，正坐在白宫他的书房内。在这个危机重重的时刻，他所有最重要的顾问都紧急聚集到他这里来，在大电视机的荧光屏前面，注视着那危险的玻璃太空船和它里面八名不怕死的宇航员的一举一动。在场的包括了全体内阁大员。陆军部长来了，还带来了四位将军。海军部长、空军部长都来了。一位阿富汗的吞剑大师也来了，他是总统最要好的朋友。在场的还有总统的财政总顾问，他站在房间当中，正试着怎样用头顶来平衡国家预算，但总是不成功。离总统最近的是副总统，一位八十九岁、身材高大的女士，下巴上长着细胡子。总统还是个吃奶的孩子时，她是他的保姆，名字叫做蒂布斯小姐。蒂布斯小姐是幕后的当权人物，大家对她不敢等闲视之。有人说她对总统很严格，就如同他还是个小孩子时一样。她是白宫的女霸王，连情报局的头子碰到她，被她叫去时也要出一身冷汗。只有总统可以叫她阿姨。总统的猫，著名的陶布茜猫太太，也在房间里。

此时，总统的书房里寂静无声。所有的眼睛都盯住了电视荧光屏，看着那小玻璃箱发射出助推火箭，在巨型太空旅馆后面快速地向上升起。

"它们要对接了！"总统大叫起来，"那些人要登上我们的太空旅馆了！"

"他们要去炸掉它！"陆军部长叫道，"让我们先炸掉他们吧，嘭嘭嘭嘭嘭！"这位陆军部长佩戴着许多奖章绶带，它们把他紧身上衣的胸前两边盖满了，一直盖到了他的裤子那里。"下令吧，总统先生。"他说，"让我们来一次真正的特大爆炸！"

"闭嘴，你这傻小子！"蒂布斯小姐说。陆军部长连忙溜到屋角去了。

　　"你们听着，"总统说，"关键问题在这里。他们是谁?

他们是从哪里来的? 我的情报负责人在哪里? "

　　"在这里，总统先生! "间谍头子说。

　　他装着两撇假的八字胡、一把假的胡须、两道假眼睫

毛、一副假牙，用的是假嗓音。

"门儿敲敲。"总统说。

"外面是谁？"间谍头子说。

"戴主。"

"哪个戴主？"

"戴主一个没有？"总统说。

沉默片刻。"总统是问你，"蒂布斯小姐用冷冰冰的声音说，"你逮住一个没有？"

"没有，蒂布斯小姐，还没有。"间谍头子说，浑身开始哆嗦。

"好，你立功的机会来了。"蒂布斯小姐生气地说。

"对，"总统说，"马上告诉我，在那玻璃太空船里的是些什么人？"

"这个嘛……"间谍头子捻着他的假八字胡子说，"这是一个非常难的难题。"

"你是说你不知道？"

"我是说我知道，总统先生。至少我认为我知道。请听我说，我们刚把世界上最好的旅馆发射上了天，对吗？"

"对！"

"谁最妒忌这家了不起的旅馆，想要把它炸掉呢？"

"蒂布斯小姐。"总统说。

"错了，"间谍头子说，"请再猜一次。"

"那么，"总统说着埋头苦思冥想，"会不会是一个旅馆老板，他妒忌我们这家豪华的大旅馆？"

"回答得好！"间谍头子叫道，"请说下去，总统先生！你开始接近了！"

"是萨沃伊先生！"总统说。

"愈来愈近了，总统先生！"

"里兹先生！"

"近极了，总统先生！近得不能再近了，请说下去！"

"我想出来了！"总统叫道，"是希尔顿先生！"

"说得对，总统先生！"间谍头子说。

"你断定是他吗？"

"还不能断定，但肯定极有可能，总统先生。虽然希尔顿先生几乎在全世界每一个国家都开设了希尔顿旅馆，但是在太空还没有。我们却抢先了一步。他一定气得比一个疯子还要疯！"

"老天爷作证，让我们解决这件事！"总统生气地说，抓起写字台上十一个电话中的一个。"哈啰！"他对着电话说，"哈啰！哈啰！哈啰！接线生在哪里？"他狠狠地按着叫唤接线生时要按的那个小玩意儿，"接线生，你在哪里？"

"她们现在不会回答你。"蒂布斯小姐说，"她们全都在看电视。"

"那么，这一个一定会回答！"总统抓起一个鲜红的电话。这是直通莫斯科总理的热线电话。它一直通着，但只有在事情十万火急时才用。"俄国人和希尔顿同样有可能做这件事。"总统说，"你不同意吗，阿姨？"

"一定是俄国人。"蒂布斯小姐说。

"我是尼利凯巴总理，"莫斯科那边说，"有什么事，总统先生？"

"门儿敲敲。"总统说。

"外面是谁？"总理说。

"詹正宇。"

"哪个詹正宇？"

"列夫·托尔斯泰写的《詹正宇和平》①。"总统说，"请听我说，尼利凯巴！你快命令你那些宇航员立刻离开我们的太空旅馆吧！否则我们只好对你们不客气了，尼利凯巴！"

"那些宇航员不是俄国人，总统先生。"

"他在说谎。"蒂布斯小姐说。

---

① 指俄国文豪列夫·托尔斯泰的小说《战争与和平》。这里是说暗语。

"你在说谎。"总统说。

"我没有说谎，总统先生。"尼利凯巴总理说，"你仔细看过玻璃箱里那些宇航员吗？我在电视荧光屏上不能把他们看得太清楚……"

"一点没有错！"总统大叫，"如果你不马上把他们叫回来，我这就命令我的陆军部长把他们在高空上就地炸掉！好好考虑考虑吧！"

"万岁！"陆军部长说，"把上面的人炸个精光！嘭嘭！嘭嘭！"

"别吵！"蒂布斯小姐呵斥他。

"我成功了！"财政总顾问叫起来，"大家看我！我已经把预算平衡了！"真的，他成功了。他得意地站在房间当中，把两百亿美元的预算账册很均匀地平衡在他的秃顶上。所有的人劈里啪啦地鼓掌。就在这时候，宇航员沙克沃思的声音在总统书房的收音机扩音器里紧急地插进来。"他们已经对接，登上去了！"沙克沃思叫道，"他们已经把床……我是说炸弹带进去了！"

总统张开嘴深深地吸了一口气，正好把一只恰巧飞过

的大苍蝇吸到了嘴里，把他呛住了。蒂布斯小姐拍拍他的背。他把苍蝇吞了下去，这才舒服了一些，但他非常生气。他拿一支铅笔和一张纸，开始在纸上画图。他一面画一面嘀咕："我不容许我的办公室里有苍蝇！我不能容忍它们！"他的顾问们焦急地等待着。他们知道这位大人物将向全世界献上他的另一项出色的发明。他的上一项发明是"吉利格拉斯左手开塞钻"，全国的左撇子们曾经称誉它是本世纪最伟大的发明之一。

"好了！"总统把纸举起来说，"这是吉利格拉斯专利捕蝇器！"所有的人都围上来看。

"苍蝇从左边爬上梯子，"总统说，"它顺着跳板走过去，然后停下来，吸一吸鼻子，它闻到了美味。它朝跳板边望下去，看见了那块方糖。'啊哈！'它叫道，'糖！'它正要爬下绳子到糖那儿去，忽然看见了下面的一盆水。'呵呵！'它说，'这是一个圈套！他们要我跌下去！'于是它向前走，自以为是一只聪明的苍蝇。但是正如你们看到的，我让它下来的梯子缺了一根横木，于是它跌下来，把脖子也摔断了。"

　　"了不起，总统先生！"大家叫道，"想象力丰富！天才之作！"

　　"我希望为陆军马上订购十万个。"陆军部长说。

　　"谢谢！"总统说着，仔细地记下了这笔订货。

　　"我再说一遍，"扩音器里传来沙克沃思激动的声音，

"他们已经登上太空旅馆，还把炸弹带了进去！"

"离他们远一点，沙克沃思。"总统吩咐说，"不要把你们也炸掉了。"

这时候，全世界千百万观众都非常紧张地在电视机前面等着。电视荧光屏上的画面色彩鲜艳，清楚地显示出那个古怪的小玻璃箱正安全地接合到巨大的太空旅馆的底部，看上去像是一只幼小的动物依偎在它母亲的身上。当摄像机再移近一点时，大家都清楚地看到玻璃箱现在完全空了。八个暴徒全都登上了太空旅馆，把他们的炸弹也带进去了。

5 火星来客

在太空旅馆里人不再飘来飘去，这是因为重力制造机起了作用。因此，当对接顺利地完成以后，旺卡先生、查理、约瑟夫爷爷、巴克特先生和太太就能走出大玻璃升降机，进入旅馆的大厅。至于乔治姥爷、乔治娜姥姥和约瑟芬奶奶，他们二十多年来一直没有下过床，现在当然也不会改变这个习惯。他们不再飘来飘去时，全都正好落到床上，因此他们坚决要求把他们连床推进太空旅馆。

查理环顾偌大的旅馆大厅。大厅地上铺着绿色的厚地毯，二十盏枝形大吊灯从天花板上吊下来，闪闪烁烁，墙上挂着名贵的画，四周还摆着柔软的大扶手椅。大厅尽头有五道电梯门。这一群人默默地站在那里，看着这些豪华的设备。没有人敢说话。旺卡先生警告过他们，他们说的每一个字都会被休斯敦的太空控制中心人员收听到，因此他们觉得还是小心点好。一阵微弱的嗡嗡声从地板下什么

地方传来，这比寂静更加可怕。查理抓紧约瑟夫爷爷的手。

他说不准他是不是喜欢到这里来。他们擅自闯进了有史以来人类制造的最伟大的机器。这是美国政府的财产，如果他们被发现，并被逮住（这是免不了的），后果究竟会怎样呢？终身监禁吗？是的，或者比这还要惨。

旺卡先生正在一张便条上写字。他把便条举起来，上面写着：**你们饿了吗？**

床上的三位老人家招手点头，把嘴开开合合。旺卡先生把便条反过来，在背面写上：**这家旅馆的厨房里放满了美味的食物。有龙虾、牛排、冰淇淋。我们可以吃一顿空前丰盛的大餐。**

忽然，一个巨大的隆隆声从藏在大厅不知什么地方的扩音器里发出来。"注意！"那隆隆的声音说。查理吓得跳起来，约瑟夫爷爷也跳起来，人人都跳起来，连旺卡先生也跳起来。"八位外国宇航员注意！这是美国得克萨斯州休斯敦太空控制中心在说话！你们非法侵入了美国的地盘！要求你们立即证明你们的身份！马上回答！"

"嘘——"旺卡先生把一个手指头放在嘴唇前面，悄悄地说。

接下来是死寂的几秒钟。除了旺卡先生，所有人都一动不动。旺卡先生继续说："嘘——嘘——"

"你们……是……谁？"从休斯敦隆隆地发出的这个声音，全世界都听到了，"我再说一遍……你们……是……谁？"这个咄咄逼人的怒吼声在大厅里回荡，五亿人正在他们的电视机前等着太空旅馆内那些神秘的不速之客回答。电视无法显示出这些陌生人的画面，因为在旅馆里没有电视摄像机，只有声音能够从电视机里传出来。电视观众在荧光屏上看见的只是在轨道上运行的巨大旅馆，这当然是尾随其后的沙克沃思、香克斯和肖勒拍摄的。全世界等候回音等了半分钟。

但是没有回音。

"快回答！"那隆隆的声音说，它愈来愈响，愈来愈响，变成吓人的吆喝声，震动着查理的耳鼓，"快回答！快回答！快回答！"乔治娜姥姥钻到被单底下去；约瑟芬奶奶用手指塞住耳朵；乔治姥爷把头钻到枕头下面；巴克特先生和太太搂作一团，呆若木鸡。查理抓住约瑟夫爷爷的手，

双双盯住旺卡先生，用眼神央求他采取点什么行动。旺卡先生站在那里一动不动，虽然他的脸看上去很平静，但是可以肯定，他那善于发明的聪明头脑正旋转得和发动机一样快。

"这是你们最后的机会了！"那声音隆隆地响，"现在再一次问你们……你们……是……谁？请立刻回答！如果你们再不回答，我们将不得不认定你们是危险的敌人，只要按动紧急冷冻按钮，太空旅馆的温度便会降到摄氏零下一百度，你们马上就会被冻僵。现在给你们十五秒钟的时间，再不说话，你们便会变成冰条……一……二……三……"

"爷爷！"查理在那声音数数时悄悄地说，"我们必须做点事情！我们必须做！快！"

"六！"那声音说，"七……八……九……"

旺卡先生一动不动。他仍旧直视前方，仍旧冷冰冰的，脸上毫无表情。查理和约瑟夫爷爷惊慌地看着他。突然，他们看到旺卡先生的眼角露出笑纹。他忽然精神一振，踮起脚尖旋转，又在地板上跳了几跳，然后用一种可怕的狂叫声喊道："**芬波·菲斯!**"

扩音器里的声音停止数数。四周一片寂静,全世界一片寂静。

查理的眼睛盯住旺卡先生看，他又要开始说话了。他深深吸进一口气，尖叫道："**奔戈·布尼！**"旺卡先生使出全身力气吼叫着，连脚尖都踮了起来。

奔戈·布尼！

达夫·都尼！

大比·卢尼！

又是一片寂静。

接下来旺卡先生说话了，他说得那么快，那么尖，那么响，活像开机关枪一样。"**中——中——中——中——中！**"他哇哇大叫，大叫声在太空旅馆的大厅里不断发出一声又一声的回响，响彻整个世界。

旺卡先生现在转过身来，面对着大厅尽头发出声音的扩音器的方向。他向前走了几步，当一个人想跟对方作更亲密的对话时，大概就是这个样子吧。这一次他的声音轻得多，话也说得更慢，但每个音节都是硬邦邦的：

基拉苏库·马利布库，

我门·葱明，你门·于春！

阿利盆达·卡卡门达，

不用·库带，库子·落下！

夫伊基卡·看德里卡，

窝们·更强，你门·梅用！

波波科塔·波鲁莫卡，

非常·危先，如戈·挑辛！

卡蒂卡蒂·月亮·星星，

芳芳尼沙，金星·火星！

　　旺卡先生戏剧性地停了几秒钟。接着他又深深地吸了一口长气，用粗犷可怖的声音又大叫起来：

基丁比比，中！

芬博利西，中！

古古米萨，中！

富米卡卡，中！

阿那波拉拉，中，中，中！

这些话在下面地球上就像闪电打雷一样。在休斯敦的控制中心，在华盛顿的白宫，在从美国到中国到秘鲁的各个宫殿、城市大楼和山间木屋，听到这粗犷可怖的声音叫出那些古怪而又神秘的话的五亿人，无不在电视机前吓得瑟瑟发抖，面面相觑地问道："他们是些什么人？他们在说什么语言？他们是从什么地方来的？"

在白宫的总统书房里，副总统蒂布斯，各大官员，陆军、海军和空军的部长，阿富汗的吞剑大师，财政总顾问，陶布茜猫太太，全都紧张地呆站着。他们全都吓坏了。只有总统还保持着冷静和清醒的头脑。"阿姨！"他叫道，"噢，阿姨，现在我们该怎么办呢？"

"我来给你一杯热牛奶吧。"蒂布斯小姐说。

"我讨厌牛奶,"总统说,"请不要逼我喝牛奶!"

"把总翻译官请来。"蒂布斯小姐说。

"把总翻译官请来。"总统说,"他在哪里?"

"我在这里,总统先生。"总翻译官说道。

"上面太空旅馆里的那个家伙,叽哩呱啦说的是什么语言啊?快回答!是爱斯基摩语吗?"

"不是爱斯基摩语，总统先生。"

"哈！那么是菲律宾的他加禄语吧？不是他加禄语就是芬兰的乌戈尔语！"

"不是他加禄语，总统先生，也不是乌戈尔语。"

"那么是印度的图鲁语吗？抑或是通古斯语，或者是南美洲印第安人的图皮语？"

"绝对不是图鲁语，总统先生。我也完全可以肯定不是通古斯语或者图皮语。"

"不要站在那里只管告诉他不是什么语，不是什么语，你这蠢材！"蒂布斯小姐说，"就告诉他这是什么语。"

"是，蒂布斯小姐，副总统小姐。"总翻译官说，他开始发抖了，"请相信我的话，总统先生，"他说下去，"这是一种我有生以来从未听到过的语言。"

"我还以为你懂得全世界的语言呢。"

"我是懂得全世界的语言，总统先生。"

"不要骗我，总翻译官，你不懂这一种语言，怎么能说懂得全世界的语言呢？"

"它不是这个世界的语言，总统先生。"

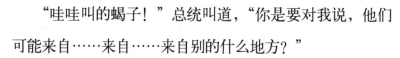

"胡说八道，你这家伙！"蒂布斯小姐大声吼叫着说，"有几句话连我都猜得出来！"

"副总统小姐，这些人显然学会了我们语言中几句容易学会的话，但其他的话是地球上从未听到过的一种语言！"

"哇哇叫的蝎子！"总统叫道，"你是要对我说，他们可能来自……来自……来自别的什么地方？"

"显然是这样，总统先生。"

"比方说什么地方？"总统说。

"谁知道呢？"总翻译官说，"不过你没有注意到吗，总统先生？他们用了金星和火星这两个名词。"

"我当然注意到了，"总统说，"但这跟这件事又有什么关系呢？啊哈！我明白你的意思了！天啊，这些人是从火星上来的！"

"还有金星。"总翻译官说。

"这就麻烦了。"总统说。

"的确麻烦。"总翻译官说。

"他不是在跟你说话。"蒂布斯小姐说。

"我们现在怎么办呢，将军？"总统说。

"把他们炸死！"将军叫道。

"你开口就是炸。"总统生气地说，"你不能想出点别的办法吗？"

"我喜欢把东西炸掉。"将军说，"它发出的声音好听极了——嘭嘭嘭！"

"别傻了！"蒂布斯小姐说，"炸死这些人，火星就会向我们宣战！金星也一样！"

"一点不错，阿姨。"总统说，"我们个个都会像火鸡一样被宰掉！我们个个都会像土豆一样被压成土豆泥！"

"我来对付他们！"陆军部长大叫。

"闭嘴！"蒂布斯小姐呵斥他，"你被革职了。"

"万岁！"其他将军叫道，"你做得好，副总统小姐！"

蒂布斯小姐说："我们必须对这些人客客气气的。刚才说话的人，听他的口气极其恼怒。我们必须对他们彬彬有礼，奉承他们，使他们快活。我们绝不希望遭到火星人入侵！你必须跟他们对话，总统先生。通知休斯敦，我们需要一个直接和太空旅馆对话的无线电线路。叫他们快办！"

6 邀请到白宫做客

"美国总统现在将和你们对话！"太空旅馆大厅里的扩音器宣布说。

乔治娜姥姥从被单底下小心地探出她的头来偷看，约瑟芬奶奶放下她塞住耳朵的手指，乔治姥爷抬起他藏在枕头下面的脸。

"你认为他真的要跟我们说话吗？"查理悄悄地说。

"嘘——"旺卡先生说，"听着！"

"亲爱的朋友们！"总统熟悉的声音在扩音器里响起，"亲爱的，亲爱的朋友们！欢迎你们光临美国太空旅馆。谨向火星和金星的来客致敬……"

"火星和金星！"查理悄悄地说，"他是不是以为我们来自……"

"嘘嘘嘘——嘘嘘嘘——嘘嘘嘘！"旺卡先生说。他无声地大笑着弯下了腰，笑得浑身发抖，还交替着双脚在地

上蹦蹦跳。

“你们已经走了漫长的路，”总统说下去，“那么，你们何不再走远一点儿，到下面我们渺小的地球来看看我们呢？我邀请你们八位为我的贵宾，到我们这里，到华盛顿来做客。你们可以把那架了不起的玻璃飞行器降落在白宫后面的大草坪上。我们将在外面铺上红地毯欢迎你们。但愿你们懂得足够的我们的语言，能听懂我说的话。我急着

等候你们的回音……"

咔嗒一声，总统的话结束了。

"简直叫人无法相信！"约瑟夫爷爷轻轻地说，"那是白宫呢，查理！我们被作为贵宾邀请到白宫去！"

查理抓住约瑟夫爷爷的双手，两个人开始一圈又一圈地绕着旅馆的大厅跳舞。旺卡先生还在笑得浑身发抖，走过去坐在床边，做手势叫大家团团围住他，这样他们便可以低声说话而不会被暗藏着的窃听器听见了。

"他们怕得要死，"旺卡先生悄悄地说，"现在他们不会再骚扰我们了。让我们吃一顿刚才说过的大餐，然后参观一下这家旅馆。"

"我们不到白宫去吗？"约瑟芬奶奶问道，"我要去白宫做客，和总统聚一聚。"

"我亲爱的矮墩墩的老好人，"旺卡先生说，"与其说你看上去像个火星人，不如说是个臭虫！他们马上就会知道上了当。你还没有来得及跟总统说一声'你好'，就被逮捕了。"

旺卡先生的话是对的，大家都明白根本不能接受总统

的邀请。

"但我们必须对他说句什么话呀,"查理轻轻地说,"这会儿他一定正坐在下面的白宫里等着回音。"

"想出个借口吧。"巴克特先生说。

"告诉他我们已经另有约会。"巴克特太太说。

"你说得对,"旺卡先生悄悄地说,"接到邀请而不答复是没有礼貌的。"他站起来,离开大家几步,沉默了一会儿,集中精力动脑筋。没多久查理看到他的眼角又泛起笑纹。旺卡先生再一次开始说话了,这一次他的声音像一个巨人的声音,深沉恐怖,又慢又响亮:

在泥泞的沼泽地带,

黏黏糊糊,崎崎岖岖,

在昏暗的神秘时刻,

所有的格罗布慢慢地回家去。

你能听到它们在泥浆中,

发出轻轻的咕吱咕吱声,

所有那么油光光的滚烫身体，

在暮色中慢慢前行。

然后开始跑！啊，飞奔，

穿过烂泥浆！

又是蹦，又是跳！

所有的格罗布在游荡！

在二百四十英里下面，总统正坐在他的书房里，面色变得和白宫一样白。"蹦蹦跳跳的长耳朵大野兔！"他叫道，"我想他们正在紧跟着我们！"

"噢，请让我把他们炸死吧！"前陆军部长说。

"别做声！"蒂布斯小姐说，"站到墙角去！"

在太空旅馆的大厅，旺卡先生停了一下，准备想出另一首诗。他刚要再开口，忽然响起一声可怕的震耳的尖叫，使他一下子停了下来，呆住不动。原来这是约瑟芬奶奶在尖叫。她这时候坐在床上，用一只发抖的手指着大厅尽头的电梯。她仍旧用手指那么指着，又尖叫了一声，所有人的眼睛都向着电梯看过去。一道电梯门慢慢地打开，他们可以清楚地看到里面有一样东西……一样圆滚滚的……棕色的……不完全是棕色而是棕色中带绿色的……有黏滑皮肤和大眼睛的东西……蹲在电梯里面！

7   电梯里的怪物

约瑟芬奶奶现在已经停止尖叫,她吓呆了。床边的其他人,包括查理和约瑟夫爷爷,也变得像石头一样,一动不动。他们不敢动,连气也不敢透。旺卡先生听到第一声尖叫就连忙转过头去看,立刻也和其他人一样变成了哑巴。他站着一动不动,看着电梯里的东西,嘴巴微微张开,眼睛睁圆,像是两个车轮。他看到的东西,所有人看到的东西,是这个样子的:它看上去像一个大鸡蛋,用尖的一头直立在电梯里。它约有一个大孩子那么高,宽度比最胖的胖子还要宽。绿棕色的皮肤湿漉漉的,发着亮,上面有皱纹。从下面上去约四分之三的地方,也就是最宽的部位,有两只圆圆的茶杯口大小的大眼睛。眼睛是白的,但每一只眼睛中央有一个鲜红的瞳孔。两个鲜红的瞳孔先是盯住旺卡先生。现在它们开始慢慢地移向查理,移向约瑟夫爷爷,移向床边每一个人,用含有恶意的冷冰冰的眼光看他们,在每个人的身上停留一下。它只有一双眼睛，没有鼻子，没有嘴巴，没有耳朵，没有其他器官，但是整个蛋形身体自己会微微地移动，一伸一缩的，皮肤上好像涂满了很稠的油。

就在这时候，查理忽然注意到另一架电梯也下来了。门上方的指示号码正在闪亮……6……5……4……3……

2……L（就是 lobby 大厅）。停了一会儿以后，电梯门轻轻地打开。在那里面，在第二架电梯里面，又是一个滑溜溜、布满皱纹、有一双大眼睛的绿棕色巨蛋。

现在其他三架电梯的指示号码都亮起来了。它们正在下来……下来……下来……下来……很快地，就在同一时间，它们都降落到大厅这一层，门轻轻地打开……现在是五道打开的门，每道门里面是一只生物，一共五只，五双有鲜红瞳孔的眼睛，盯住旺卡先生、查理、约瑟夫爷爷和其他人。

这五只生物的大小和形状各有差异，但都有同样的绿棕色、布满皱纹、一抽一抽的皮肤。

约有三十秒钟，什么事也没有发生。没有人动一动，没有人发出一点声音，静得可怕。这样疑神疑鬼也是很可怕的。查理害怕得全身皮肤在缩紧。突然，他看见左边电梯里的一只怪蛋开始变形！它的身体慢慢地愈变愈长，愈变愈瘦，略偏左地弯向电梯的天花板，像条蛇一样弯得极其好看，伸到左边电梯顶以后，又开始沿着电梯顶向右弯下来，蜷成一个半圆形……接着底部也开始伸出来了，像一条尾巴……顺着地板伸长……伸向左边……最后，这只原先像个巨蛋的生物，这时候看上去像一条弯曲的长蛇，尾巴着地，全身竖立着。

这时候，隔壁一个电梯里的怪物也伸长身体，过程大致上和先前那只怪物一样，看着真叫人恶心！它扭来扭去，但变出来的形状和前一只也有些不同，它不是完全靠尾巴来平衡身体。

接着，其他三只怪物同时开始伸长身体，每一只都慢

慢地向上伸，愈来愈高，愈来愈瘦，弯曲扭动，盘绕蜷曲，或者用尾巴，或者用头，或者兼用尾巴和头来平衡身体，它们都侧着身，因此只看到一只眼睛。当它们全部停止伸长和蜷曲时，形状如下：

"SCRAM[①]！快走！"旺卡先生叫道，"快出去！"

从来没有谁的动作比得上现在的约瑟夫爷爷、查理、巴克特先生和太太的动作这样快。他们全都跑到床后面，开始发疯一样把床推走。旺卡先生跑在他们前面叫道："快走！快走！快走！"转眼间，他们已经全部走出旅馆大厅，回到大玻璃升降机里。旺卡先生像发疯似的打开插头，并按动按钮。大玻璃升降机的门马上关上，整个升降机向旁边移动。他们离开了太空旅馆！当然是全体都离开了，一个不少，包括床上的三位老人家。他们又在升降机里飘来飘去。

---

① 五只怪物弯曲成 SCRAM 五个字母，在英语里，这个单词的意思是"快走"。

8 蠕虫克尼德

"噢，我的天啊！"旺卡先生连气也透不过来，"噢，我的神圣裤子啊！噢，我的五彩蚂蚁啊！噢，我的爬行猫啊！但愿不再看到像它们那样的东西！"他飘到白按钮那里把它一按，助推火箭便发射出去。升降机向前飞得很快，一转眼工夫，太空旅馆已经被远远地抛在后面，看不见了。

"那些可怕的怪物到底是什么东西呢？"查理问道。

"你是说你不知道吗？"旺卡先生叫道，"也幸亏你不知道！刚才遇到的恐怖，你如果哪怕只知道一点儿，便会连骨髓都要吓出来了！你会吓得不能动弹，瘫痪在地上！那么它们就会赶上你！你也就会变成熟黄瓜！你就会被嚼成上千小块，像干酪那样被活活嚼烂！它们会把你的手指关节骨制成项链，把你的牙齿制成手镯！我的不懂事的孩子，那些怪物是全宇宙最残忍、最凶恶、最狠毒的杀人野兽！"旺卡先生说到这里停了停，用粉红色的舌尖把嘴唇舔了舔。"蠕虫克尼德！"他叫道，"它们就叫这个名字！"他又发出克……克尼德的声音。

"我原以为它们是格罗布呢，"查理说，"就是你告诉总统的什么黏糊糊的格罗布。"

"噢，不，格罗布只是我编造出来吓唬吓唬白宫里那些人的。"旺卡先生回答说，"但蠕虫克尼德却完全不是想象出来的，你相信我好了。大家都知道，它们生活在蠕虫星上，这行星距离地球一百八十四亿二千七百万英里。蠕虫克尼德是非常非常聪明却又极其残酷的生物。它能随意变成任何形状。它没有骨头，整个身体实际上是一大块肌肉，异常有力，却又黏糊糊的极有弹性，像是由橡胶和油灰合成的，里面有钢丝。平时它是蛋形的，然而它轻而易举就能变出两条腿，像个人；也能变出四条腿，像匹马；它能圆得像个球，又能长得像根风筝线。一条完全长成的蠕虫克尼德甚至不用起来就能在五十码之外一伸脖子咬掉你的脑袋！"

"用什么咬？"乔治娜姥姥问，"我没看到它有嘴巴。"

"它们用别的东西咬。"旺卡先生沉下脸说。

"什么东西？"乔治娜姥姥追着问。

"挂断电话，"旺卡先生说，"你的通话时间到了。不过大家听我说。我刚产生了一个滑稽的想法。刚才我只是骗总统，装作我们是从别的星球来的生物，但是天啊，旅馆里真有从别的星球来的生物！"

"你想它们的数量多吗？"查理问道，"多于我们所看见的五只？"

"几千只！"旺卡先生说，"那座太空旅馆有五百间客房，每个房间里可能都有一家子这种怪物！"

"人们登上旅馆时要吓坏了！"约瑟夫爷爷说。

"他们会像花生米一样被吃掉，"旺卡先生说，"吃得一个不剩。"

"你这话不是当真的吧，旺卡先生？"查理说。

"自然是当真的。"旺卡先生说，"这些蠕虫克尼德是宇宙间的恶煞。它们一大群一大群地在太空中飞行，降落到其他星球上，摧毁它们能找到的所有东西。很久以前，月球上有一种很漂亮的生物，叫做普萨，但是蠕虫克尼德把它们吃光了。蠕虫克尼德在金星、火星以及其他星球上也这么干。"

"蠕虫克尼德为什么不到地球上来把我们也吃掉呢？"查理问道。

"它们也尝试过多次，查理，但是都没有成功。要知道，我们的地球周围裹着一层大气层，任何东西高速下降，碰到大气层就会变得炽热。太空船是用特殊的防热金属制造的，当它们重返大气层时，速度降低到每小时二千英里。它们先用减速火箭减速，然后通过'摩擦阻力'再把速度减慢。尽管如此，太空船还是要被烤得很厉害。克尼德根本没有防热装置，也没有减速火箭，一路上还没走到一半，就要咝咝地烧起来了。你看见过流星没有？"

"见得多了。"查理说。

"它们当然不是流星，"旺卡先生说，"而是'流克尼德'。这些克尼德想以高速度进入地球的大气层，结果变成了火焰。"

"真是信口开河。"乔治娜姥姥说。

"你等着吧，"旺卡先生说，"也许还没到天黑你就能看见了。"

"既然它们这样凶狠危险,"查理说,"在太空旅馆,它们为什么不马上把我们吃掉呢?为什么它们还要浪费时间变成几个字母,拼成 SCRAM 这个词呢?"

"因为它们想要炫耀自己。"旺卡先生回答说,"能这样拼单词,它们觉得极其骄傲。"

"不过,它们既然要捕捉我们,并且把我们吃掉,怎么还说 SCRAM,叫我们快走呢?"

"因为它们只认识这个词。"旺卡先生说。

"看!"约瑟芬奶奶指着玻璃外面尖叫起来,"那里!"

查理还没有转过头去看,心里已经清楚他将看到什么。其他人也一样,他们听这位老太太歇斯底里的两声尖叫就知道了。

正如他们所料,在他们旁边不费力地飞着一只其大无比的蠕虫克尼德,它身体像一条鲸鱼一样宽,长短则像一辆大卡车,眼睛里露出最可怕的蠕虫凶光!它距大玻璃升降机顶多只有十二码,蛋形,滑溜溜的,绿棕色,一只恶毒的红色眼睛(只看得见一只)紧紧地盯住在大玻璃升降机里飘来飘去的人!

"这次完了！"乔治娜姥姥尖声大叫。

"它会吃掉我们！"巴克特太太叫道。

"只要一口！"巴克特先生说。

"我们没命了，查理。"约瑟夫爷爷说。查理点着头连话也说不出来，他的喉咙被恐惧堵住了。

但是这一回，旺卡先生一点也不惊慌，他保持完全镇静。"我们很快就能把它甩掉！"他说着同时按动六个按钮，升降机底下同时发射出六颗助推火箭。升降机像一匹被刺了一下的快马那样直冲向前，愈来愈快，只是那滑溜溜、绿棕色的巨大克尼德也轻而易举地加快了速度，飞驰在升降机旁边。

"让它走开！"乔治娜姥姥声嘶力竭地大叫，"它盯着我看，我受不了啦！"

"亲爱的老太太，"旺卡先生说，"它可进不来。我不妨承认，在太空旅馆那阵子，我倒是真有点害怕，这是有道理的。但在这里我们没必要害怕。大玻璃升降机是防震、防水、防炸弹、防子弹、防克尼德的！因此你只管休息，尽情欣赏它就是了。"

接着旺卡先生大叫：

噢，你这克尼德，

该死的蠕虫动物！

你滑溜溜、湿漉漉、黏糊糊！

但是我们一点不在乎，

因为你进不了这个地方。

滚蛋吧，

痴心妄想也毫无用处！

旺卡先生唱到这里的时候，外面那巨大的克尼德转过身，开始离开升降机飞走。"这就对了。"旺卡先生得意地叫道，"它听见我的话了！它回家去了！"但是旺卡先生错了。那怪物离开一百码时忽然停下来，盘旋了一阵，接着轻快地倒退着，用它的后端（也就是蛋形的尖端）对准升降机重新飞回来。虽然是倒退着飞，它的速度也是快的叫人难以相信的。它像一个向他们射来的大炮弹，快得使人连叫都来不及。

砰！它用最大的力气向大玻璃升降机猛力一撞，整架升降机震动了一下，但是玻璃挡住了它，那克尼德像个皮球似的弹开了。

"我怎么跟你们说的？"旺卡先生得意地嚷着，"我们在这里安全得像一根根的香肠！"

"这一下它的头可够痛了。"约瑟夫爷爷说。

"那不是它的头，那是它的屁股！"查理说，"你看，爷爷，在它撞我们的那个尖端上长出了一个大疙瘩！变得又青又黑了！"

一点不假。在那巨大的克尼德的后面尖端，出现了一个紫色的大包，大小跟一辆小汽车差不多。"哈啰，你这该死的巨兽！"旺卡先生叫道：

喂，你这大克尼德！
告诉我们，你好吗？
今天你的颜色古怪非常，
你的屁股变成紫色。
难道你原先就是这个模样？

你觉得不舒服吗？想要昏倒？

是不是有什么事我们没法商量？

你一定是恨得不得了，

因为你的屁股上有个肿包，

大得像公共汽车一样！

让我替你请位医生吧。

我正好认识一位，

专替克尼德治怪病。

他的职业是屠夫，

收费十分公平。

啊，他来了！

"医生，你真是慈悲为怀，

从老远来到太空。

你的病人在这里，

这克尼德的屁股上有个紫包，

你认为病情严重不严重？"

"天啊！怪不得它脸色发白！"
医生阴森森地笑笑说，
"它的尾巴尖上那个东西像气球！
我必须马上用针把它刺破！"

于是他拿出一样东西，
很像印第安人的长矛，
长矛头上插满了羽毛。
他向前冲去，
抓住克尼德的尾部，
可是天啊，
刺下去这个气球却不爆掉！
克尼德叫道："今后我可怎么办？
屁股上老带着这个痛得要命的难看肿块！
我不能整个夏天都站着，
要坐吧，那肿块又使我坐不下来！"

"屁股痛是个疑难杂症。"

医生说，"这个病我医不好。

如果你想坐，

你就倒过来用头顶坐吧，

让屁股翘得半天高！"

9　把人吞下去了

发生所有这些事的那天，全世界所有的工厂停工，所有的公司停业，所有的学校停课。没有一个人离开电视机，哪怕是离开两分钟去拿瓶可口可乐喝喝，或者喂婴儿吃奶，气氛紧张得叫人受不了。人人听到了美国总统邀请火星人到白宫去做客，也听到了火星人用古怪的诗歌来回答，听上去充满了威胁性。他们也听到了刺耳的尖叫声（就是约瑟芬奶奶的尖叫），过了一会儿，他们又听见有人大叫，"快走！快走！快走！"（那是旺卡先生的吆喝。）没有一个人明白这些叫声是怎么回事，他们只能把它们当做火星语言。但当那八名神秘的宇航员忽然离开了太空旅馆，回到他们的玻璃太空船时，你几乎可以听到全世界人因为松了一口气所发出的巨大的叹息声。电报和信件像潮水般涌进白宫，祝贺总统如此出色地处理了这次危机。

总统本人仍然保持镇静，继续思索。他坐在他的写字台旁边，用大拇指和一个手指头搓着一块黏糊糊的橡皮糖。他正在等候机会，趁蒂布斯小姐看不见的时候把糖扔到她的身上。他扔出去了，可是没有扔中蒂布斯小姐，却扔中了空军部长的鼻尖。

"你们以为火星人会接受我的邀请到白宫来吗？"总统问道。

"当然会。"外交部长说，"那是一篇精彩的演说，总统先生。"

"他们这会儿也许已经在路上了。"蒂布斯小姐说，"快去洗掉你手指上黏糊糊的橡皮糖吧。他们随时会来到这里。"

"让我们先唱一首歌。"总统说，"阿姨，请再唱一首关于我的歌吧……谢谢你。"

保姆的歌

我要歌颂的这个伟人，

是伟人中的伟人。

但他曾经是个小东西，

身长只有十八英寸。

我认识他时他还小，

我把他抱在膝盖上。

我常让他在便壶上坐，

等着他把屎拉光。

我一直给他洗脚，

给他剪指甲，

我给他梳头发擦鼻涕，

量体重看有没有增加。

他和所有的孩子一样，

幸福童年过得嘻嘻哈哈。

他不听话我要打，

他听话就不打他。

我很快就发现，

他这个人不聪明，

已经过了二十三，

读书写字还不行。

"我们怎么办？"他的双亲哭诉，

"这孩子就只会空想一大套！
连派报纸的工作，
他也找不到！"

"哈哈！"我说，"这小家伙
可以当个政治家。"
"阿姨，"他叫道，"噢，阿姨，
一个多么了不起的建议，顶呱呱！"

"好吧，"我说，"我就教你
政治艺术这门课。
我来教你怎样有意放过机会，
有意出点错，
怎样赢得人们的选票，
还教你许多小计策。

"我来教你一天作一篇演说词，
有关电影和电视。

演说词里千万要注意，

不要说你真正的意思。

"还有些事最要紧，

一定要刷牙，

一定要洗干净手指。"

如今我已八十九，

再后悔也没有用。

这件事情都怪我：

让这蠢材当了大总统。

"太好了，阿姨！"总统鼓掌喝彩，"万岁！"其他人
大叫，"唱得好，副总统小姐！出色！出色极了！"

"我的天！"总统说，"那些火星人随时要到这里来
了！午餐我们请他们吃什么呢？我的总厨师在哪里？"

这位总厨师是一个法国人，也是一名法国间谍，这时
候他正在总统书房的钥匙孔旁边偷听。"Ici,Monsieur le

President！"（我在这里，总统先生！）他连忙冲进书房说。

"总厨师，"总统说，"火星人午餐是吃什么的？"

"火星条。"总厨师说。

"烤的还是煮的？"总统问道。

"当然是烤的，总统先生。火星条一煮就不好吃了！"

他们的话一下子被总统书房扩音器里宇航员沙克沃思的声音打断。"请指示，能允许我们和太空旅馆对接并登上去吗？"他说。

"允许，"总统说，"就这么办吧，沙克沃思。现在一切都解决了……多亏了我。"

于是由沙克沃思、香克斯和肖勒驾驶的大太空船，带着旅馆的经理、副经理、行李搬运员、糕点面包师傅、男女服务员和收拾房间的女侍应生，轻快地开过去和那巨大的太空旅馆对接。

"哎呀！我们电视的画面没有了。"总统叫道。

"我想是电视摄像机被太空旅馆撞坏了，总统先生。"沙克沃思回答说。总统对着话筒说了一句骂人的粗话，全国一千万儿童欢天喜地地重复这句话，结果被他们的爸爸妈妈打了耳光。

"全体宇航员和一百五十名旅馆职工都安全登上了太空旅馆！"沙克沃思在无线电里报告说，"我们如今正站在大厅里！"

"你认为这家旅馆怎么样？"总统问道。他知道全世界的人都在听着，希望沙克沃思说说它有多么富丽堂皇。沙克沃思绝不会使他丢脸的。

"啊！总统先生，简直是了不起！"他说，"真叫人难以置信！它是那么宏伟！还那么……根本找不到话来形容。它的的确确是豪华极了，特别是枝形吊灯和地毯等等！现在旅馆的总经理沃尔特·华尔先生正站在我的身边。他希望能有这个荣幸和你说句话，总统先生。"

"请他说吧。"总统说。

"总统先生，我是沃尔特·华尔。这是一家多么豪华的旅馆啊！装饰是一流的！"

"你看到地面上都铺满了地毯吗，沃尔特·华尔先生？"总统说。

"当然看到了，总统先生。"

"所有墙壁也都是贴上了墙纸的,沃尔特·华尔先生。"

"一点不错,总统先生!这不是极其了不起吗?能经营这样一家美丽的旅馆真是一件大快事……嘿!那边怎么啦?有样东西正从电梯里出来。救命啊!"总统书房里的扩音器里忽然传出一连串极其恐怖的尖叫声。"哎呀呀呀呀!哎哟哟哟!哎呀呀呀呀!救救救救命!救救救救救救命!救救救救救救命!"

"那里出什么事啦?"总统问道,"沙克沃思!你在那里吗?沙克沃思……香克斯!肖勒!沃尔特·华尔先生!

你们都在哪里?出什么事了?"

尖叫声持续不断,响得总统只好用手指塞住耳朵。全世界每一个有电视机或者收音机的人家都听到了这种可怕的尖叫声。还有别的喧闹声:很响的咕噜咕噜喉鸣声、哼哼的吸鼻子声和嘎吱嘎吱的咀嚼声，接着是一片死寂。

总统拼命在无线电里呼叫太空旅馆。休斯敦呼叫太空旅馆。总统呼叫休斯敦。休斯敦呼叫总统。接着他们双方都呼叫太空旅馆。但是毫无回音，太空里一片死寂。

"出什么该死的事情了？"总统说。

"是那些火星人。"前陆军部长说，"我跟你说过，让我把他们炸掉。"

"别吵！"总统呵斥他，"我得想一想。"

扩音器开始咯咯地响。"哈啰！"它说，"哈啰，哈啰！你们听到我的声音了吗？休斯敦太空控制中心有人在吗？"

总统连忙抓起写字台上的话筒。"让我来回答吧，休斯敦！"他叫道，"我是吉利格拉斯总统，你的话听到了，又响亮又清楚！说下去吧！"

"我是宇航员沙克沃思。总统先生，我们已经回到了太空运输船……谢天谢地！"

"出什么事了，沙克沃思？什么人和你在一起？"

"绝大多数人都在这里，总统先生。我很高兴告诉你，香克斯和肖勒和我在一起，还有一大群人。我猜想我们可

能失去了二十来个人，包括糕点面包师傅、行李搬运员等。我们没命地逃出了那个地方！"

"你们失去了二十来个人，这是什么意思？"总统叫道，"你们怎么会失去他们的？"

"被吃掉了！"沙克沃思回答说，"一口一个，就是这么回事！我看见一位六英尺高的副经理被吃下去，就像你吞下一口冰淇淋那样，总统先生！连嚼也不嚼——完全不当一回事！一转眼就吞下去了！"

"被谁吞下去了？"总统叫道，"谁吞下了他？"

"等一等！"沙克沃思叫道，"噢，我的天！现在它们全都来了！它们来追我们！它们正在蜂拥着走出太空旅馆！一大群一大群地出来！请原谅我停一会儿，总统先生，现在没有时间说话了！"

10　太空运输船遇险

正当沙克沃思、香克斯和肖勒被那些蠕虫克尼德追赶着逃出太空旅馆的时候，旺卡先生的大玻璃升降机正以惊人的速度绕着地球运行。旺卡先生在不断发射他的助推火箭，升降机的速度已达每小时三万四千英里，而不是正常的一万七千英里。你知道，他们是想甩掉那屁股上有个乌青肿包、正在大发脾气的巨大克尼德。旺卡先生并不怕它，但约瑟芬奶奶却吓呆了。她每次一看见它就刺耳地尖声大叫，双手吧嗒捂住自己的眼睛。当然，每小时三万四千英里对克尼德来说只等于"散步"。对于年轻力壮的克尼德来说，从午餐到晚餐的一段时间里走一百万英里，到第二天早餐前再走一百万英里，它们根本不当一回事。不然，它们怎能在蠕虫星和其他星球之间航行呢？旺卡先生本该知道这一点，好省下他的助推火箭，但他还是不管三七二十一拼命地逃走，而巨大的克尼德一直轻松地飞在他们旁边，

用那只邪恶的红眼睛盯住升降机，好像在说："你们撞伤了我的屁股，我要你们偿还这笔债。"

　　他们就这样绕着地球转了大约四十五分钟，在天花板下舒舒服服地飘在约瑟夫爷爷身边的查理忽然说："前面有什么东西？你看见吗，爷爷？就在我们前面！"

　　"我看见了，查理，我看见了……天啊，是太空旅馆！"

　　"不可能，爷爷。我们早就把它甩在后面无数英里了。"

　　"哈哈！"旺卡先生说，"我们飞得那么快，又是一路绕着地球转，当然又追上它了！了不起的成就！"

　　"还有太空运输船！你看见了吗，爷爷？它就在太空旅馆后面！"

"那里还有别的东西。查理，如果我没有看错的话！"

"我知道那些是什么东西。"约瑟芬奶奶尖声叫道，"它们是蠕虫克尼德！我们马上向后转！"

"后退！"乔治娜姥姥大叫，"改路走！"

"亲爱的老太太，"旺卡先生说，"这不是一辆在马路上行驶的汽车，它在轨道上既不能停也不能后退。"

"这个我不管！"约瑟芬奶奶叫道，"刹车！停止！后退！克尼德会赶上我们！"

"看在老天爷的分上，我们停止说这种废话吧！"旺卡先生坚决地说，"你们很清楚，我们的升降机是绝对防克尼德的。你们根本用不着害怕。"

他们现在已经飞近了，可以看到那些蠕虫克尼德从太空旅馆鱼贯而出，像一群黄蜂那样包围着太空运输船。

"克尼德在向太空运输船进攻！"查理叫道，"它们在追赶太空运输船！"

这是一个吓人的场面。那些绿色的蛋形克尼德分成一队队，每队约二十只。每一队排成一行，一只只克尼德相隔一码，然后一队接一队开始轮番进攻太空运输船。它们让尖尖的尾部在前倒退着进攻，以惊人的速度冲过来。

砰！一队克尼德撞过来，弹开，旋转着离去。

砰！又一队克尼德向太空运输船的侧面猛撞过来。

"我们快离开这里，你这疯子！"约瑟芬奶奶尖声叫道，"你还等什么？"

"接下来它们就要追我们了！"乔治娜姥姥大叫，"老天爷在上，你这家伙，快转回去！"

"我十分怀疑他们的太空船是不是防克尼德的。"旺卡先生说。

"那我们必须去救他们！"查理叫道，"我们得去救他们！那太空船里有一百五十个人！"

在下面地球上白宫的书房里，总统和他那些顾问正紧张地听着无线电里宇航员们的声音。

"它们正一群群地向我们扑来！"沙克沃思已经在急叫了，"它们正要把我们撞个粉碎！"

"但它们是谁？"总统叫道，"你还没有告诉我们，是谁在向你们进攻？"

"是些该死的绿棕色巨兽，长着红色的眼睛！"香克斯插进来嚷着说，"它们的形状像大鸡蛋，全都倒退着向我们冲过来！"

"倒退着冲过来？"总统叫着，"为什么倒退着？"

"因为它们的后面比前面尖！"沙克沃思叫道，"小心！另外一群又来了！我们可能支持不下去了，总统先生！那些女服务员已经在哇哇大叫，收拾房间的女侍应生全都变得歇斯底里，男服务员在呕吐，行李搬运员在祷告，那么，我们该怎么办呢？总统先生，我们应该怎么办呢？"

"发射火箭，你这蠢材，赶快重返大气层！"总统大叫，"马上回到地球上来！"

"这是不可能的！"肖勒叫道，"它们已经撞坏了我们

的火箭！它们已经把火箭撞了个粉碎！"

"我们完了，总统先生！"香克斯叫道，"我们没命了！就算它们不摧毁我们这艘太空船，我们也只好永远留在这轨道上！没有火箭我们没有办法返航！"

总统满头大汗，汗水从他的脖子上流下来，流到他的衣领里面。

"现在我随时可能和你失去联系，总统先生！"香克斯说下去，"另一群怪兽正从我们的左边冲过来，对准了我们的无线电天线！它们来了，我认为我们不可能……"声音没有了，通讯中止了。

"香克斯！"总统叫道，"你在哪里，香克斯……沙克沃思！香克斯！肖勒……肖沃思！沙克思！香克勒……香克沃思！肖沙克勒！你们为什么不回答我的话？"

在上面的大玻璃升降机里没有无线电，当然完全听不到这些对话，这时查理正在说："他们唯一的希望就是重返大气层，马上回到地球上去！"

"是的，"旺卡先生说，"但要重返大气层，必须先离开轨道。他们必须改变方向，让头朝下，而要这样做，必须借助火箭！但他们的火箭发射管全都瘪了、弯了！从这里可以看到，它们全都变成了废物！”

　　“我们为什么不能把他们拖下来呢？”查理问道。

　　旺卡先生跳起来。虽然是飘着，他还是跳了起来。他兴奋得往上冲，头在天花板上碰了一下。接着他在空中转了三圈，大叫道：“查理！办法让你给想出来了！一点不错，正是这样！我们来把他们拖出轨道！到按钮那里去，快！”

"我们用什么来拖他们呢？"约瑟夫爷爷问道，"用我们的领带吗？"

"这点小事犯不着你操心！"旺卡先生叫道，"我这架大玻璃升降机无所不能！挺身去担当重任吧，亲爱的朋友们，挺身而出吧！"

"阻止他！"约瑟芬奶奶哇哇大叫。

"你别吵，约瑟芬。"约瑟夫爷爷说，"那里需要帮助，我们有责任去帮他们一把。如果你害怕，你最好闭紧眼睛，用手指堵住耳朵。"

11　克尼德大战

"约瑟夫爷爷！"旺卡先生叫道，"请你吹气飞到升降机那边的尽头上，把那个把手转一转！它会放下缆绳！"

"缆绳没有用，旺卡先生！克尼德一秒钟就能把它咬断！"

"这是钢缆。"旺卡先生说，"是用防火钢做的。如果克尼德想咬断它，它们只会把它们的牙齿咬碎！到你的按钮那里去，查理！你要帮助我！我们一直飞到太空运输船的顶上，想办法钩住它某个部位，把它钩紧！"

大玻璃升降机像一艘军舰投入战斗。它发射助推火箭，轻快地飞到巨大的太空运输船顶上。那些克尼德马上停止进攻太空船，转过来对付升降机。庞大的克尼德一队接一队冲上来，狠狠地撞击旺卡先生那架了不起的升降机！砰！砰！砰！声音像打雷，非常可怕。升降机在太空中像一片树叶那样左摇右晃。在它里面，穿着睡袍飘来飘去的

约瑟芬奶奶、乔治娜姥姥和乔治姥爷全都在大喊大叫，挥舞着双臂大叫救命。巴克特太太紧紧地抱着巴克特先生，紧得巴克特先生的一颗纽扣压痛了他的皮肤。查理和旺卡先生冷静得像两块冰，正在上面靠近天花板的地方操纵着助推火箭发射装置。约瑟夫爷爷在底下一面呐喊，大骂克尼德，一向转动把手松开钢缆。与此同时，他透过升降机的玻璃地板看着那条钢缆垂下去。

"略微向右，查理！"约瑟夫爷爷叫道，"现在我们就在太空船顶上了……再向前两码，旺卡先生……我还在尝试用钩子钩住太空船前面那突出来的东西……别动！我钩住了……钩好了！现在往前一点，看清楚是不是钩紧了……再往前一点……再往前一点……"粗大的钢缆绷紧，它钩紧了！这真是奇迹中的奇迹，升降机发射的助推火箭闪闪发光，它开始拉动巨大的太空运输船，拖着它走！

"全速前进！"约瑟夫爷爷叫道，"拉住它了！已经拉住了！拉得很好！"

"发射全部的助推火箭！"旺卡先生叫道，升降机向前冲去，钢缆仍旧拉着。旺卡先生舒了一口气，让自己落到约瑟夫爷爷身边，和他热烈握手。"做得好，爷爷。"他说，"你在密集的炮火当中把任务完成得非常出色！"

查理回过头去看在他们后面约三十码、在拖缆那端的太空运输船。透过太空船前部的小窗子，能看到沙克沃思、香克斯和肖勒吃惊的脸。查理向他们招手，竖起大拇指。他们并不招手回答，只是目瞪口呆，不敢相信正在发生的事。

约瑟夫爷爷吹了一口气飞上半空，盘旋在查理身边，兴奋得哈哈大笑。"查理啊，我的乖孙孙。"他说，"我们最近合作了好几件有趣的事情，但是没有一件能够跟这一件相比！"

"爷爷，那些克尼德在哪里？它们忽然不见了！"

大家环视四周，唯一能看见的克尼德只有他们的老朋友——屁股上有个紫包的，它仍旧在老地方傍着他们在飞驰，注视着升降机的里面。

"等一等！"约瑟芬奶奶叫道，"那边我看见的是什么？"他们看过去，这回一点也不假，在远处外太空的深蓝天空上，他们看到那些蠕虫克尼德黑压压的一大片，像一队轰炸机在打转。

"如果以为我们已经脱险，那就是发疯了！"乔治娜姥姥叫道。

"我不怕克尼德！"旺卡先生说，"我们现在把它们打败了！"

"烂菜和剩菜！"约瑟芬奶奶说，"它们现在随时会再进攻我们的！看看它们！它们来了！它们更近了！"

真的，这一大批克尼德正在以让人难以相信的速度飞来，现在和玻璃大升降机平行，离升降机的右侧约有两百码，屁股起包的一只最近，只有二十码。

"它在变形了！"查理叫道，"那最近的一只！它想干什么？它变得越来越长了！"确实如此。那巨大的蛋形身体像橡皮糖那样慢慢地伸展，愈来愈长，愈来愈细，最后变得完全像一条滑溜溜的绿色巨蟒，有一棵大树那么粗，有一个足球场那么长。前端有眼睛，大而白，中间是红色的瞳孔，尾巴尖端还是那个大圆肿包，是它自己撞玻璃时撞出来的。

在升降机里飘来飘去的人看着，等着。没过多久，他们看见这条像长绳子一样的克尼德转过身，笔直地向大玻璃升降机慢慢地移近。现在它用绳子一样的身体环绕升降机，绕了一圈又一圈。在升降机里面看着那柔软的绿色身体缠绕在玻璃外面，距离他们不过几英寸，那真是恐怖到了极点。

"它打算把我们打成一个包裹！"约瑟芬奶奶叫道。

"废话！"旺卡先生说。

"它要用盘起来的身体绞碎我们！"乔治娜姥姥焦急地大叫。

"永远办不到！"旺卡先生说。

查理急忙回过头去看后面的太空运输船。沙克沃思、香克斯和肖勒的白得像纸的脸贴着小玻璃窗，惊惶、发愣、不知所措，他们嘴巴张开，表情呆板得像冷藏的炸鱼条。查理再一次向他们翘翘大拇指。肖勒只是傻笑了一下。

"噢！噢！噢！"约瑟芬奶奶急叫道，"把这黏糊糊的可怕东西赶开！"

这克尼德把升降机绕了两圈以后，便用它的头尾两端打了一个结结实实的结，左端搭到右端，右端搭到左端。它把结拉紧以后，有一端空出约五码。这是有眼睛的一端。但

这一端很快又卷成一个大钩子。这钩子伸出去，好像等着要和什么东西钩在一起似的。

当这一切正在进行时，没有人注意到其他那些克尼德在上面做什么。"旺卡先生！"查理叫道，"你快看其他的克尼德！它们在干什么？"

真的，它们在干什么呢？

这些克尼德已经变形，变长了，但没有他们旁边的那条长，因此也没有它那么细。它们每一条像根粗棍，头部和尾部两端都各自卷起来，成了双钩。现在所有的克尼德都用两端的钩子互相钩起来，连成一根长链……一千只克尼德全都连在一起，在太空上形成弯弯的、一条长半英里多的克尼德链子！链子最前面的一只克尼德（它前面的钩子当然没有钩住任何东西）带领其他克尼德围成一个大圈，向大玻璃升降机飞来。

"哎呀！"约瑟夫爷爷叫道，"它们是要来和裹住我们的这一只克尼德钩在一起！"

"并且把我们拖走！"查理叫道。

"拖到蠕虫星去。"约瑟芬奶奶气也透不过来，"离开这

里一百八十四亿二千七百万英里！"

"它们办不到！"旺卡先生叫道，"是我们正在这里拖！"

"它们要连接起来，旺卡先生！"查理说，"它们的确要连接起来！我们不能阻止它们连接起来吗？它们要把我们拖走，同时要把我们正在拖走的人拖走！"

"想想办法吧，你这老傻瓜！"乔治娜姥姥尖声大叫，"不要就这样飘来飘去看着它们！"

"我必须承认，"旺卡先生说，"有生以来，我还是第一次遇到点挫折。"

所有的人惊慌地透过玻璃看着那条蠕虫克尼德长链。带头的那只克尼德愈来愈近。它伸长了有两只怒气冲冲的大眼睛的钩子等待着。再过三十秒钟，这钩子就要和裹住升降机的克尼德的钩子钩在一起了。

"我要回家！"约瑟芬奶奶哇哇地叫，"为什么我们大家不能回家？"

"轰隆轰隆叫的大公猫！"旺卡先生叫道，"回家，一点不错！我的脑子想到哪里去啦！来吧，查理！快！重返大气层！你管那黄色按钮，用力按下去！我管这几个按钮！"查理和旺卡先生分别飞到他们的按钮那里。"按紧你们的帽子！"旺卡先生叫道，"抱紧你们的肚子！我们要下去了！"

火箭从升降机的四面八方发射出去，升降机一侧身，叫人想吐。它突然倾斜，随即高速向下冲进地球的大气层。"助推火箭！"旺卡先生叫道，"我绝不能忘记发射助推火箭！"他飞到另一组按钮那里，开始像弹钢琴一样按按钮。

现在升降机头向下倒过来直往下冲，所有的乘客也倒过头来飘来飘去。"救命啊！"乔治娜姥姥尖声大叫，"所有的血都冲到我的头上来了！"

"那么你翻过来吧，让头在上。"旺卡先生说，"这太容易了，不是吗？"

所有的人吹气，在空气中翻了一个筋斗，直到头在上脚在下。"拖缆怎么样啊，爷爷？"旺卡先生大声地问。

"它们还是在我们后面跟着，旺卡先生！拖缆很好！"

这真是一个奇观——玻璃升降机直向地球俯冲，后面拖着那架巨大的太空运输船。而那条克尼德长链紧紧地跟

着他们下来，眼看轻而易举地就要追上了。现在链子头上那只带头的克尼德已经伸出它的钩子，要钩住升降机上那只克尼德所伸出的钩子！

"我们来不及了！"乔治娜姥姥叫道，"它们要连接起来把我们拖回去了！"

"我想不会。"旺卡先生说，"你不记得，克尼德高速进入地球大气层的时候会发生什么事吗？它会变得炙热无比，烧成像流星那样的一道长长的光，变成一只'流克尼德'。这些该死的野兽将要劈里啪啦的像爆玉米花！"

他们就这样直往下冲，升降机边上开始溅出火花。玻璃先是映成粉红色，接着映成猩红色。克尼德长链也开始溅出火星，带头的一只克尼德像一根烧红的铁棍那样闪起光来，其他的克尼德莫不如此。裹住升降机的那只细长凶煞也是一样。说实在的，这一只正拼命地想要松开自己逃走，但是解开那个结太难了，十秒钟后，它开始咝咝地燃烧。查理他们在升降机里也能听见它在咝咝地响，声音就像烧肉一样。长链上一千只克尼德的命运也是这样，巨热把它们全都咝咝地烧起来。它们只只变得炽热赤红，接着変得白热，发出耀眼的白光。

"它们是'流克尼德'！"查理叫道。

"多么壮观啊！"旺卡先生说，"比放烟花更好看。"

几秒钟工夫，这些克尼德全都化成了灰烬，一切都过去了。"我们成功了！"旺卡先生叫道，"它们全都烤焦了！它们全都烧成灰了！我们得救了！"

"我们得救了，你这话是什么意思？"约瑟芬奶奶说，"再下去，我们自己也会烤焦的，我们全要烤成牛排！瞧那玻璃，它比火还烫！"

"不用怕，亲爱的老太太。"旺卡先生回答说，"我这架升降机装有全自动的空气调节系统，通气通风，我们会没事的。"

"我一丁点儿也不明白，眼前这一切是怎么回事。"巴克特太太难得开口，这时也说话了，"但不管是怎么回事，我就是不喜欢。"

"你不欣赏吗，妈妈？"查理问她。

"不，"巴克特太太说，"我不欣赏，你的爸爸也不会欣赏的。"

"多么壮观啊！"旺卡先生说，"看看下面的地球吧，查理，它愈来愈大了！"

"我们在以每小时两千英里的速度向地球飞去！"乔治娜姥姥怨声怨气地说，"天啊，你怎么降低速度呢？你没有想到这一点吧？"

"他有降落伞。"查理告诉乔治娜姥姥，"我敢打赌，旺卡先生有巨型的降落伞，到地球的时候它会打开。"

"降落伞！"旺卡先生用鄙夷不屑的口气说，"降落伞是给飞行员和胆小鬼用的！反正我们不用减速，不但不减速，我们还要加速。我早告诉过你们了，下去时我们必须用最快的速度，否则我们就不能撞穿巧克力工厂的屋顶。"

"那么太空运输船里的人怎么办？"查理着急地问道。

"几秒钟后我们就把他们放开。"旺卡先生回答说，"他们确实有降落伞，一共三个，到最后时刻能使运输船减速。"

"你怎么知道我们就不会落在太平洋呢？"约瑟芬奶奶说。

"我不知道，"旺卡先生说，"但是我们都会游泳，对吗？"

"这个人疯得像一个烤圆饼！"约瑟芬奶奶叫道。

"对！他疯得像一只喇蛄！"乔治娜姥姥叫道。

大玻璃升降机一直冲下去。下面的地球愈来愈近。大洋和大洲迎面扑来，一秒钟比一秒钟大……

"约瑟夫爷爷，把钢缆扔出去！把太空运输船放掉！"旺卡先生说，"只要他们的降落伞可以用，他们就没事了。"

"钢缆扔出去了！"约瑟夫爷爷叫道。现在巨大的太空运输船可以自己运行了，它开始离开升降机，转向一边。查理向前窗的三位宇航员挥手，但是他们一个也没有挥手回答。他们坐在那里一动不动，吓呆了，看着在大玻璃升降机里飘来飘去的老太太、老先生和那个小孩子。

"现在快到时间了。"旺卡先生说着，向角落上一排灰蓝色的小按钮伸过手去，"很快我们就知道是死是活了。在这最后关头，大家请务必保持绝对安静。我必须全神贯注，否则我们就会降错地方。"

他们钻进厚厚的云层，有十秒钟什么也看不见。当他们从云里出来时，太空运输船已经不见了，地球非常近，只见下面是一大片土地，有山有森林……接着是田野和树

木……接着是一个小城镇。

"看它就在那里！"旺卡先生叫道，"我的巧克力工厂！我心爱的巧克力工厂！"

"你是说查理的巧克力工厂吧？"约瑟夫爷爷说。

"一点不错！"旺卡先生对查理说，"我竟然忘得一干二净了！我向你道歉，我亲爱的孩子！它当然是你的！我们这就下去吧！"

透过升降机的玻璃地板，查理一眼瞥见了这巨大工厂的红色大屋顶和高烟囱。他们笔直地向屋顶俯冲下去。

"屏住呼吸！"旺卡先生叫道，"捏住你们的鼻子！系上你们座位上的安全带！一起祷告吧！我们这就要穿过屋顶了！"

12　回到巧克力工厂

砰！接着升降机直冲下去，只听见木头哗啦哗啦、玻璃劈里啪啦的无比吓人的响声，眼前漆黑一片。

一下子，嘈杂的声音停止了，升降机更平稳，像在铁轨上滑行，转来转去像游乐场的环滑车。等到亮光照进来，查理猛然发现，最后几秒钟他根本没有在飘来飘去，已经正常地站在地板上了。旺卡先生、约瑟夫爷爷、巴克特先

生和巴克特太太，连同那张大床，全都在地板上。至于约瑟芬奶奶、乔治娜姥姥和乔治姥爷，他们一定正好落到了床上，因为他们三个如今都在床上，正争着要躺到毯子下面去。

"我们穿过屋顶下来了！"旺卡先生叫道，"我们成功了！我们进来了！"

约瑟夫爷爷握住他的手说："做得好，旺卡先生！多么出色啊！多么了不起啊！"

"我们现在在哪里？"巴克特太太问。

"我们回来了，妈妈！"查理叫道，"我们在巧克力工厂里！"

"我很高兴听到这句话。"巴克特太太说，"我们不是绕得太远了吗？"

"为了避开拥挤的交通，"旺卡先生说，"我们只好这样做！"

"我还没有见过一个人能这样胡说八道的！"乔治娜姥姥说。

"偶尔胡说两句，是最聪明的人的最大乐趣。"旺卡先

生说。

"为什么你不注意一下，这架发疯的升降机在往哪里去！"约瑟芬奶奶叫道，"别再磨蹭了！"

"稍微磨蹭一下可以使你不闯大祸！"旺卡先生说。

"我怎么对你们说的？"乔治娜姥姥叫道，"他净胡说八道！他像陷进了泥沼的甲虫！他是个疯子！他的屋顶上都是老鼠！我要回家！"

"太晚了，"旺卡先生说，"我们已经到了这里！"升降机停了下来，门打开了。查理又一次看到巨大的巧克力车间，里面有巧克力河和巧克力瀑布，所有的东西都是可以

吃的——树木、叶子、草、小石子，甚至岩石……千百个奥帕—伦帕人在迎接他们，全都招手欢呼。这是一个使人透不过气来的场面。连乔治娜姥姥也呆了好几秒钟，但是没有多久。"这些古怪的小矮人都是谁？"她说。

"他们是奥帕—伦帕人。"查理告诉她，"他们真了不起，你会喜欢他们的。"

"嘘——"约瑟夫爷爷说，"听吧，查理，鼓敲起来了！他们要唱歌了。"

哈利路亚！奥帕—伦帕人唱道：

噢，哈利路亚！万岁！

我们的威利·旺卡先生终于返回！

我们本以为你永远不再回家！

我们本以为你要把我们丢下！

我们知道你在太空，

和可怕的吃人怪物相逢。

我们好像还听到，

你被当做午餐叽嘎叽嘎地嚼……

"好！"旺卡先生笑着举起双手说，"谢谢你们的欢迎！请你们帮帮忙，把这张床搬出去好吗？"

五十名奥帕－伦帕人跑上前，把床连同三位老人家推出升降机。巴克特先生和太太看来完全被这些事镇住了，也跟着走出来。接着出来的是约瑟夫爷爷、查理和旺卡先生。

"现在，"旺卡先生对乔治姥爷、乔治娜姥姥和约瑟芬奶奶说，"请跳下床，让我们动手干起来吧！我肯定你们都愿意帮忙经营这家工厂。"

"你说谁，说我们吗？"约瑟芬奶奶说。

"对，是你们。"旺卡先生说。

"你一定是在开玩笑。"乔治娜姥姥说。

"我从来不开玩笑。"旺卡先生说。

"现在你听我说，先生！"乔治姥爷从床上坐起来说，"你已经让我们又翻又滚一整天，吃足苦头了！"

"我也使你们摆脱了那些怪物。"旺卡先生自豪地说，"我还要使你们离开这张床，瞧我不这样做才怪呢！"

13　旺卡维他是怎样发明的

"我二十年没有离开过这张床，现在也不打算为了任何人离开它！"约瑟芬奶奶坚决地说。

"我也一样。"乔治娜姥姥说。

"你们刚才就离开过它。"旺卡先生说。

"那是飘起来，"乔治姥爷说，"我们想不飘起来也不可能啊。"

"我们从来没有把脚放到地上过。"约瑟芬奶奶说。

"那么试试看吧。"旺卡先生说，"你们会有意想不到的惊喜。"

"试试看吧，"约瑟夫爷爷说，"我也做到了。"

"我们现在十分舒服，谢谢。"约瑟芬奶奶说。

旺卡先生叹了口气，慢慢地摇摇头，非常难过。"好吧。"他说，"我也没有话可说了。"他转过头看着床上三位老人家，动着脑筋。查理仔细看着他，看见他那双明亮的

小眼睛又一次发出亮光。"哈哈！"查理想，"旺卡先生又要出点什么新花样呢？"

"我想，"旺卡先生用一只手指轻轻地按着鼻尖说，"我想……由于情况非常特殊……我想让给你们一点儿……"他突然停了口，摇摇头。

"一点儿什么？"约瑟芬奶奶尖声问道。

"不，"旺卡先生说，"这是没有意义的。你们似乎已经拿定主意，不管发生什么事情都留在床上不起来，而且这东西太贵重了，浪费了可惜。我很抱歉把话说了出来。"旺卡先生要走了。

"喂！"乔治娜姥姥叫道，"你不能这样说开了头又不说下去！到底是什么东西这样贵重，浪费了可惜？"

旺卡先生停下脚步，慢慢地转过身来。他狠狠地瞪着床上三位老人家看了半天。他们互相对看着，等着。旺卡先生继续沉默了一会儿，弄得几位老人家更加感到好奇。那些奥帕—伦帕人一动不动地站在他后面等着。

"你说的这东西到底是什么？"乔治娜姥姥说。

"天啊，说出来吧！"约瑟芬奶奶说。

"很好，"旺卡先生终于开口说，"你们好好听着，因为这会改变你们的整个生活，甚至会把你们连人都改变过来。"

"我不要被改变！"乔治娜姥姥叫道。

"我可以说下去吗，老太太？谢谢。不久以前，我在我的发明室里瞎摆弄，把周围的东西搅来搅去，调和起来，每天下午四点以后我都是这么干的。我正那么搅着拌着，忽然发现我拌出了一种似乎极不寻常的东西。我亲眼看着这东西不断地改变颜色，而且不断跳动，一点不假，它就是

在那里一跳一跳，而且跳得很高，好像是活的东西。我制造出什么来啦？我叫了起来，赶紧把它送进试验室，给当时正在值勤的一个奥帕—伦帕人吃了一点儿。真是立时生效！这真叫人吃惊！叫人难以置信！同时也十分不幸！"

"出什么事了？"乔治娜姥姥坐起来问。

"的确是出了什么事。"旺卡先生说。

"回答她的问话吧，"约瑟芬奶奶说，"那个奥帕—伦帕人出什么事了？"

"啊！"旺卡先生说，"对了……这个……为泼了的牛奶哭是不必要的，对吗？你知道，我明白我无意中发明了一种特效的新维他命，我也明白，只要我能让人们安全服用它，使它在别人身上不会发生如同在那个奥帕—伦帕人身上所发生的事……"

"它在那个奥帕—伦帕人身上发生什么事了？"乔治娜姥姥盯住旺卡先生问道。

"我愈老耳朵愈聋，"旺卡先生说，"下次请一定要把话说得响一点。太感谢了。现在我说下去。我只是必须想出一个办法，使这种东西安全可靠，人们服用了它不会……

呃……"

"不会什么？"乔治娜姥姥生气地说。

"不会站不住脚。"旺卡先生说，"因此我卷起袖子，再回到发明室里去研究。我不断地这样加点那样减点。我在月光下把各种混合办法都试过了。顺便说说，发明室的墙上有一个小洞直接通到隔壁试验室，因此我能不断地把混合好的东西送过去，请正在值勤的勇敢志愿者试服。开始几个星期叫人十分扫兴，我就不去说它了。现在让我告诉你们，我工作到第一百三十二天的情况吧。那天上午我改变了混合配方，这一次配出来的小药丸没有原先的活跃。不错，它也在不断地改变颜色，但只是从柠檬黄变成蓝色，然后又变回黄色。我把它放在手掌上时，它也不像蚱蜢那样活蹦乱跳，只是在微微地颤动。

"我跑到墙边那个通试验室的洞口。那天下午在那里值勤的是个很老的奥帕—伦帕人，满脸皱纹，没有牙齿，头发脱光，坐在轮椅上。他坐在轮椅上少说也有十五年了。

"'这是第一百三十二次试验！'我说着，把这个数字用粉笔写在黑板上。

　　"我把药丸递给这位奥帕—伦帕老人。他紧张地看着，而且有点不安。这我不能怪他，因为以前一百三十一位志愿者吃了药都出了事。"

　　"他们出了什么事？"乔治娜姥姥叫道，"为什么老兜圈子不回答我问的话？"

　　"谁懂得怎样知道秘密吗？"旺卡先生说，"这位勇敢的奥帕—伦帕老人还是拿起了药丸，用水把它吞了下去。这时候，一件最惊人的事情发生了。当着我的面，他的样子开始一点一点地产生奇怪的变化。刚才他的头还是秃的，只有旁边和后面有一圈雪白的头发。但现在这圈白头发开始变成金色，头顶上也重新开始像草一样长出新的金头发来。不到半分钟，他已经长出一头又浓又长的美丽金发。与此同时，无数皱纹开始从他的脸上消失，虽然不是全部，但至少消失了一半，足以使他的样子年轻了许多。这些变化一定使他感到很满足，因为他开始对我咧嘴微笑，接着大笑。当他张开嘴笑的时候，我马上看到了最奇怪的事情。在他原先没有牙齿的牙龈上，长出了一颗颗雪白漂亮的牙齿，长得那么快，我实在看不见它们是怎样长出来的。

"我惊讶得说不出话来，只是站在那里，把头伸到墙洞外去看这位奥帕—伦帕老人。我看着他慢慢地从轮椅上起

来，在地上试试他的双腿。他站起来，走了几步。接着他抬头看我，满面红光。他的眼睛又大又亮，像两颗星星。

"'看着我，'他轻轻地说，'我在走路了！这是一个奇迹！'

"'这是旺卡维他的功效！'我说，'它是伟大的返老还童药。它使你恢复年轻，你觉得你现在几岁？'

"他把我的问题仔细地想过以后说：'我觉得自己差不多像五十岁。'

"'在刚才服用旺卡维他之前，你的年龄是多少？'

"'七十足岁。'他回答说。

"'这就是说，'我说，'旺卡维他使你年轻了二十岁。'

"'一点不错！一点不错！'他高兴地叫道，'我觉得自己像一只蹦蹦跳跳的青蛙那样轻快！'

"'还不够轻快，'我对他说，'五十岁还是老了。看我能不能再帮你一点忙。你不要走开，我一会儿就回来。'

"我跑到我的工作台，动手再配出一粒旺卡维他药丸，配方和原先那粒一模一样。

"'把这药丸吞下去。'我把第二粒药丸从洞口递过去说。这一次他毫不迟疑，赶紧把它放到嘴里，用一口水吞了下去。看啊，在半分钟之内，他的脸和身体又年轻了二十岁。现在他是一个身材细长、朝气蓬勃的三十岁奥帕—伦帕年轻人。他高兴得大叫，开始绕着房间跳舞，跳得半天高，落下来时用脚尖站住。'你高兴吗？'我问他。

"'我高兴得都要发疯了！'他蹦跳着大声回答，'我高兴得像一匹在草地上的马！'他跑出试验室，到他的家人和亲友那里去让他们看。

"旺卡维他就是这样发明出来的！"旺卡先生接着说，"它就是这样变得人人都可以安全服用！"

"那么你自己为什么不服用呢？"乔治娜姥姥说，"你对查理说你太老，管理不了这家工厂，那为什么你不吃两粒药丸，年轻四十岁呢？你说！"

"任何人都可以提出问题，"旺卡先生说，"但要看是不是值得回答。现在，如果你们床上的三位老人家愿意试试这药丸……"

"等一等！"约瑟芬奶奶坐直了身子说，"我想先见见这位回到三十岁的七十岁奥帕—伦帕老人！"

　　旺卡先生弹了弹他的手指。一个看上去又年轻又生龙活虎的奥帕—伦帕人从人群中跑出来，他为躺在床上的三位老人家跳了个优美的舞。"两星期以前他还是个坐轮椅的七十岁老人！"旺卡先生自豪地说，"现在看他的样子吧！"

　　"鼓声，查理！"约瑟夫爷爷说，"你听！他们又敲起鼓来了！"

　　在远处的巧克力河边，查理看到奥帕—伦帕人的乐队又演奏起来。乐队里有二十名奥帕—伦帕人，每人都有一个比他们高一倍的大鼓。他们正在敲着神秘的慢节奏，鼓声很快就使几百名奥帕—伦帕人心醉神驰地左右摇摆，接着唱道：

> 如果你老得走不动，
>
> 如果你老得骨头痛，
>
> 如果你老得哆哆嗦嗦，
>
> 如果你老得靠人养活，
>
> 如果你活得没办法，
>
> 如果你活得叫妈妈，
>
> 那么，你需要的就是旺卡维他！
>
> 吃了它，你会聪明长头发，
>
> 脸和皮肤红润又光滑，
>
> 你的烂牙全落下，
>
> 重新长出新的牙。
>
> 臀部脂肪都不见，
>
> 皱巴巴的嘴唇变得鲜红又丰满，

所有小伙子们看见你，

都要对你眨眼笑眯眯，

偷偷地对自己讲：

"这正是我想亲吻的姑娘！"

但等一等！这个还不是我们要夸的最重要的事。

你变得好看，这我们已经说过，

但还不止是这个。

每一粒药丸，

可以让你们多活二十年！

因此吃吧，老朋友，不要错过良机！

快使你们的生活变得称心如意！

快吃一粒神丹！

快吃一粒使你们力大如牛的药丸！

莫失良机，赶快吃吧！

这是威利·旺卡的旺卡维他！

14　旺卡维他的配方

"就是它！"旺卡先生站在床的一端，用一只手高高举起一个小瓶子说，"世界上最贵重的一瓶药丸！"正因为这个缘故，他不客气地瞪了乔治娜姥姥一眼说，"我自己才没有服用。这些药丸太贵重了，不应浪费在我身上。"

他把瓶子举在床上。三位老人家坐起来，伸长了他们的瘦脖子看着。查理和约瑟夫爷爷也走过来看。巴克特先生和太太也来了。瓶子上的标签上写着：

```
旺    卡    维    他
       每粒使你年轻 20 岁
       小    心
       服用粒数不能多于
   旺卡先生指示的服用量
```

他们透过玻璃都看到了药丸。它们呈鲜黄色，在瓶子里闪亮、颤抖，也许应该说是震动。它们震动得那么快，每

一粒药丸闪来闪去，你没法看清它的形状。你只能看到它的颜色。你会得到一个印象，一种很小但力大无穷的东西，一种不像是这个世界的东西被禁闭在它们里面，正挣扎着要出来。

"它们在骨碌骨碌地跳动。"乔治娜姥姥说，"我不喜欢动的东西，吃了下去，怎么知道它们不继续动呢？就像我两年前吃了墨西哥跳豆①一样。你还记得吗，查理？"

---

① 墨西哥跳豆是灯台草的种子，因寄生幼虫，所以能够跳动。

"那时候我早就叫你不要吃，姥姥。"

"它们在我的肚子里足足跳了一个月。"乔治娜姥姥说，"我坐也坐不稳。"

"要我吃这种药丸，我先要知道它里面是什么东西。"约瑟芬奶奶说。

"我不怪你，"旺卡先生说，"但是配方太复杂了。等一等，我把它写下来了……"他开始翻他的燕尾服口袋。"我知道它放在这里的某个地方，"他说，"我不可能把它丢了。我最宝贵和最重要的东西都放在这些口袋里。问题是这种东西太多了……"

他开始把口袋里所有的东西都掏出来放在床上。一个自制弹弓……一个游戏拉线盘①……一个橡皮假煎蛋……一片意大利香肠……一颗补过的牙齿……一个恶臭炸弹……一包发痒粉……

"它一定在这里，一定在，一定在。"他嘴里叽哩咕噜地说个不停，"我很小心地放在里面的……啊！它在这里了！"他打开一团纸，把它抚平，举起来开始念：

---

① 这是一种玩具。

旺卡维他配方

把一块重一吨的上等巧克力（或二十袋碎巧克力更好）放进特大铁锅，让它在炽热的炉子上融化。融化后，略降低热度，不让巧克力烧焦，但仍让它继续沸腾。然后严格按照次序加进下述材料，不断搅拌，须在每一种新加进的材料完全溶解后才加进另一种：

一只人头狮身兽的脚

一条象鼻（连同箱子）

三个喳喳鸟蛋的蛋黄

一个疣猪的肉疣

一只牛角（必须吹起来特别响亮的）

一条鸡身蛇尾怪物的前尾

六盎司小刮黏液兽的黏液

两根马头鱼尾怪兽的头发（加一只兔子）

一个红胸威巴罗丝鸟的鸟嘴

一粒独角兽脚趾上的鸡眼

四只四爪鱼的爪

一个河马屁股

一个跳兽的鼻子

一个鼹鼠的痣

一张神经怪兽的皮

十二个叽嘎摇树鸟的蛋

一个三英尺的鼻子（没有三英尺的，一码的亦可）

一个南美算盘的平方根

一副毒蛇牙（必须是挡风玻璃毒蛇）

一柜（连同所有抽屉）野浆

当上述所有材料全部溶解后，再煮二十七天，但不要搅拌。二十七天结束时，所有液体全部蒸发，只在大锅底部剩下一块足球大小的棕色硬东西。用锤子把这块硬东西打开，在它的中心将找到一粒圆的小药丸。这药丸便是旺卡维他。

15　再见了，乔治娜姥姥

　　旺卡先生念完他的配方以后，把纸折起来收回衣袋里。"这是一种非常非常复杂的混合物，"他说，"我花了那么长的时间才把它制成，你们还要怀疑吗？"他把瓶子高高举起，轻轻摇了摇，里面的药丸沙沙作响，像玻璃球一样。"现在，老公公，"旺卡先生把药瓶递给乔治姥爷说，"你要一粒还是两粒？"

　　"你能庄严地发誓，"乔治姥爷说，"它就像你说的那样没有副作用吗？"

　　旺卡先生把手按在胸口上。"我发誓。"他说。

　　查理侧身走过来。约瑟夫爷爷跟在后面。他们两个总是紧紧靠在一起的。"请问，"查理说，"你是不是可以保证这些药丸完全没有问题？"

　　"到底是什么使你想出这样一个滑稽的问题来？"旺卡先生说。

"我想起你给维奥莉特·博雷加德的口香糖。"查理说。

"这么说，是那件事使你不放心！"旺卡先生叫道，"但是你不知道吗，我亲爱的孩子，那口香糖根本不是我给维奥莉特的，是她擅自拿走了。当时我还叫道，'停止！不要吃！把它吐出来！'但是那傻妞就是不听我的话。不过，口香糖和旺卡维他完全是两码事。现在是我请你的姥爷、姥姥和奶奶吃药丸，是我向他们推荐的。只要按照我的指示服用，便会像吃糖果一样安全！"

"那还用说！"巴克特先生叫道，"你们三位还等什么！"平时胆小如鼠的巴克特先生自走进巧克力车间以来，发生了极大的变化。他一辈子在牙膏厂里旋牙膏管盖子，这使他变得十分腼腆和沉默寡言。但宏伟的巧克力工厂使他精神振奋，药丸的事似乎又给了他一个巨大的冲击。"听我说！"他走到床边叫道，"旺卡先生正向你们提供一个新生命！趁早拿药吃吧！"

"吃下去会很舒服的，"旺卡先生说，"而且见效神速。一秒钟年轻一岁。每过一秒钟正好年轻一岁！"他上前一步，把那瓶药丸轻轻放在床中央。"药丸就在这里，我亲爱

的老人家们，"他说，"请随便吧！"

"吃吧！"所有的奥帕—伦帕小人一起叫道：

吃吧，吃吧，老朋友，不要错过良机！

快使你们的生活变得称心如意！

快吃一粒神丹！

快吃一粒使你们力大如牛的药丸！

莫失良机，赶快吃吧！

这是威利·旺卡的旺卡维他！

这几句话，对于床上的三位老人家已经足够了。他们一起向那瓶药丸扑过去。六只瘦骨嶙峋的手伸出来抢药瓶。噢！乔治娜姥姥抢到了。她得意地哼了一声，旋开瓶盖，把瓶里发亮的黄色小药丸全都倒在她膝盖上的毯子上，用双手捂住它们，不让乔治姥爷和约瑟芬奶奶抓到。"好！"她兴奋地一边叫着，一边很快地数药丸，"这里共有十二粒！我拿六粒，你们每人三粒！"

"噢！那太不公平了！"约瑟芬奶奶哇哇大叫，"应该是每人四粒！"

"对，每人四粒！"乔治姥爷叫道，"来吧，乔治娜！把我的一份给我！"

旺卡先生耸耸肩，转过身去不看他们。他最恨人们贪婪自私。他想："让他们去争个明白吧。"于是他走开了，慢慢地向着巧克力瀑布走过去。这是一个令人不愉快的真理，旺卡先生对自己说，世界上几乎所有的人总是见利忘义。他们争夺得最厉害的是金钱。但这些药丸比金钱更贵重。它们能为人们做到的事，连金钱也做不到。每一粒药丸至少价值一百万元。他知道，有许多大富豪为了能年轻二十岁，会心甘情愿地付出这笔巨款。旺卡先生来到瀑布下面的河边，站在那里看着融化的巧克力哗哗地飞泻下来。他以为瀑布的声音能压倒床上三位老人家的争吵声，但是压不住，即使背对着他们，他还是不得不听到他们大部分的谈话。

"是我先拿到手的！"乔治娜姥姥在喊叫，"因此它们应该由我来分！"

"噢，不对！"约瑟芬奶奶尖声大叫，"旺卡先生不是

把药丸全送给你一个人的，他送给我们三个！"

"我要拿我的一份，没有人能够阻止。"乔治姥爷叫道，"来吧，你这女人！把药丸给我！"

这时传来约瑟夫爷爷的声音，他在吵闹声中斩钉截铁地插进来。"马上停止！"他喝令道，"你们三个都停下来！你们的举止活像野人！"

"你别管，约瑟夫，管你自己的事去吧！"约瑟芬奶奶回敬道。

"你可小心点，约瑟芬。"约瑟夫爷爷说下去，"一个人吃四粒，不管怎么说也是太多了。"

"约瑟夫爷爷说得对。"查理说，"乔治娜姥姥，为什么不照旺卡先生说的，只吃一粒或者两粒呢？这样还能留下一点给约瑟夫爷爷和爸爸妈妈。"

"对呀！"巴克特先生叫道，"我很想吃一粒！"

"噢，能年轻二十岁，脚也不再痛了，那不是再好也没有了吗？"巴克特太太说，"你不能省下两粒，给我们夫妇俩一人一粒吗，妈妈？"

"不能！"乔治娜姥姥说，"旺卡先生说过，这些药丸

是专给我们三个在床上的人吃的！"

"我要我的一份！"乔治姥爷大叫，"来吧，乔治娜！把药丸平分吧！"

"嘿，放开我，你这野蛮的家伙！"乔治娜姥姥叫道，"你把我弄痛了！噢……好吧！那好吧！只要你不再扭我的手臂，我就把药丸分给你们……这四粒给约瑟芬……这四粒给乔治……这四粒是我的。"

"好！"乔治姥爷说，"现在谁有水？"

旺卡先生头也没回，他知道三个奥帕—伦帕人会送三杯水到床边。奥帕—伦帕人总是时刻准备好为别人效劳的。三位老人家安静了一会儿。

"好，我这就吃了！"乔治姥爷叫道。

"我这就要变得年轻漂亮了！"约瑟芬奶奶叫道。

"再见了，老年！"乔治娜姥姥叫道，"现在大家一起来吧！一起吃下去！"

接着一片寂静。旺卡先生很想回过头去看，但他强制自己等着。他从眼角里可以看到一大群奥帕—伦帕人都一动不动，眼睛紧紧地盯住升降机旁边的大床那个方向。忽然查理的声音打破了寂静。"哇！"他叫道，"看他们的样子吧！这……这真是不可思议！"

"我没有法子相信！"约瑟夫爷爷也叫起来，"他们愈变愈年轻了！一点不假！就看乔治姥爷的头发吧！"

"还有他的牙齿！"查理叫道，"噢，乔治姥爷！你又长出一口美丽的雪白牙齿了！"

"妈妈！"巴克特太太对乔治娜姥姥叫道，"噢，妈妈！你真漂亮！你多么年轻啊！看看爸爸吧！"她指着乔治姥爷说下去，"你不是挺英俊吗？"

"你觉得怎么样，约瑟芬？"约瑟夫爷爷激动地问道，"告诉我，又回到了三十岁，你觉得怎么样？等一等！你看上去三十岁还不到！你现在不可能比二十岁多一天……够了，不是吗？如果我是你，我就到此为止！二十岁已经够年轻了……"

旺卡先生难过地摇头，用一只手捂住两只眼睛。如果你站得离他近一点，就可以听到他轻轻地自言自语地咕哝："噢，天啊！天啊！我们又出事了……"

"妈妈！"巴克特太太尖叫道，声音充满了恐惧，"你为什么还不停止啊，妈妈！你变得太过头了！你已经不到二十岁！你顶多只有十五岁！你现在……你现在……你现在只有十岁了……你愈变愈小了，妈妈！"

"约瑟芬！"约瑟夫爷爷焦急地叫，"嘿，约瑟芬！别这样，约瑟芬！你在缩小！你现在成了个小女孩！哪位快帮帮忙，快让她停下来吧！快！"

"他们全都变过头了！"查理叫道。

"他们药丸吃得太多了。"巴克特先生说。

"妈妈比他们两个缩小得都快！"巴克特太太哭叫道，"妈妈！你没听见我的话吗，妈妈？你不能停下来吗？"

"我的天，真是变得够快的。"巴克特先生说，似乎只有他一个人对这件事十分欣赏，"真正是一秒钟年轻一岁啊！"

"不过他们所剩的岁数不多了！"约瑟夫爷爷哭也似的叫起来。

"妈妈现在不到四岁了！"巴克特太太大叫，"她三岁了……两岁了……一岁了……我的天，她出什么事情啦？她到哪里去了？妈妈呢？乔治娜！你在哪里？旺卡先生！快来呀！来吧，旺卡先生！出可怕的事了！出毛病了！我的妈妈不见了！"

旺卡先生叹了口气，转过身，十分镇静地慢步向床边走来。

"我的妈妈到哪里去了？"巴克特太太大哭大叫。

"看约瑟芬吧！"约瑟夫爷爷叫道，"看看她！我求求你！"旺卡先生去看约瑟芬奶奶。她坐在床当中，没命地大哭："哇！哇！哇！哇！哇！哇！哇！哇！"

"她是个哭宝宝！"约瑟夫爷爷叫道，"我有了一个哭宝宝做老婆！"

"另外一个是乔治姥爷！"巴克特先生高兴地笑着说，"那爬来爬去，稍微大一点的就是我的岳父——我太太的爸爸。"

"不错！他是我的爸爸！"巴克特太太哇哇哭叫，"可是我的老母亲乔治娜哪里去了？她失踪了！哪里也找不到她了，旺卡先生！她消失得无影无踪！我看着她愈变愈小，愈变愈小，最后变得那么小，在空气中消失不见了！我只想知道她去了哪里！我们有什么办法能把她找回来呢？"

"女士们，先生们！"旺卡先生说着，走过来，举起双手让大家安静，"我求求你们，请不要吵了！没什么需要担心的……"

"你还说没什么需要担心！"可怜的巴克特太太叫道，

"我的老母亲落到阴沟里，我的老父亲成了个哇哇叫的哭宝宝……"

"一个可爱的小宝宝。"旺卡先生说。

"我完全同意。"巴克特先生说。

"还有我的约瑟芬呢？"约瑟夫爷爷叫道。

"她怎么啦？"旺卡先生说。

"她……"

"变得好极了，约瑟夫爷爷。"旺卡先生说，"你不同意我的话吗？"

"噢，是的！"约瑟夫爷爷说，"我是说不是的！我这是说到哪儿去啦？她变成了一个哭宝宝！"

"但是十分健康。"旺卡先生说，"我可以问你一声吗，约瑟夫爷爷？她吃了几粒药丸？"

"四粒。"约瑟夫爷爷沉着脸说，"他们全都吃了四粒。"

旺卡先生的喉咙里呼哧呼哧响，脸上流露出极大的悲痛表情。"为什么，噢，为什么人们不能更理智一些？"他难过地说，"他们为什么不听我的话？我事先已经十分详细地解释过，每一粒药丸使服用的人正好年轻二十岁。既然

约瑟芬奶奶吃下四粒，她自然要年轻二十岁的四倍，那就是……等一等……二四得八……加一个零……那就是八十……因此她自动年轻八十岁。请问，在变年轻以前，你的太太有多大，约瑟夫爷爷？"

"八十岁多一点，"约瑟夫爷爷回答说，"应该是八十岁零三个月。"

"那就对了！"旺卡先生露出快活的微笑叫道，"旺卡维他真是十全十美！她现在显然是三个月的样子！我还没有见过一个这么白白胖胖的小宝宝！"

"我也没有。"巴克特先生说，"优生婴儿比赛中她一定可以得奖。"

"一定得冠军。"旺卡先生说。

"开心点吧，爷爷。"查理握住爷爷的手说，"不要难过，约瑟芬奶奶是个漂亮的小宝宝。"

"太太，"旺卡先生转过身来问巴克特太太，"请问你父亲乔治姥爷本来几岁？"

"八十一。"巴克特太太哭着说，"八十一岁整。"

"那么药丸使他变成了一个活泼可爱的一岁大娃娃。"

旺卡先生高兴地说。

"多么了不起啊！"巴克特先生对他的太太说，"你是世界上第一个给父亲换尿布的人！"

"他可以自己换尿布！"巴克特太太说，"我想知道我的妈妈上哪里去了！乔治娜姥姥在哪里？"

"哈哈！"旺卡先生说，"呵呵……对！真的……乔治娜姥姥上哪里去了呢？请问她本来几岁？"

"七十八岁。"巴克特太太告诉他。

"嗯，那就对了！"旺卡先生大笑着说，"道理这就清清楚楚了！"

"什么道理？"巴克特太太生气地说。

"我亲爱的太太，"旺卡先生说，"你的妈妈只有七十八岁，却吃了足以使她年轻八十岁的旺卡维他药丸，她自然就消失了。她服用的药丸超过了她能服用的量！因此去掉了的岁数比她原有的岁数还多！"

"请解释清楚。"巴克特太太说。

"这道题再简单不过了，"旺卡先生说，"七十八减去八十是多少？"

"负二！"查理说。

"对啊！"巴克特先生说，"我的岳母是负二岁。"

"不可能！"巴克特太太说。

"这是千真万确的。"旺卡先生说。

"请问她现在在哪里？"巴克特太太说。

"这个问题问得好，"旺卡先生说，"这个问题问得非常好。不错，问得实在好。她现在在哪里？"

"你一点也不知道吗？"

"我当然知道。"旺卡先生说，"我完全知道她在哪里。"

"那么告诉我吧！"

"你一定要明白这个道理，"旺卡先生说，"如果她现在是负两岁，那么她要到两年以后才能够从零开始。她得等上两年。"

"她在哪里等呢？"巴克特太太问道。

"当然是在等候室。"巴克特先生说。

嘭！嘭！奥帕—伦帕人的鼓声又响起来。嘭嘭嘭嘭！站在巧克力车间的几百名奥帕—伦帕人全都开始跟着音乐节拍摇摆跳舞。"请注意！"他们唱起来了：

请注意！请注意！

不要说话！不要打喷嚏！

不要打瞌睡，不要做白日梦！请保持清醒！

事关你的健康，事关你的性命！

"呵呵！"你说，"与我无关！"

"哈哈！"我们回答，"你就等着看。"

请问你们有哪位，

见过一个女孩叫戈迪？

七岁时候，她上肯特，到奶奶的家，

要在那里住一下。

到那里的第二天，

在吃午餐的时间，

奶奶说："我要到城里，到商店去买东西。"

（你知道奶奶出去，

为什么不带她的孙女？

只为她想喝杯酒，

要上酒店去走走。)

话说奶奶出去关上了门，

戈迪看见只剩下自己一个人，

她马上就不客气，

到放药的架子那里，

用贪婪的小眼睛去瞧，

看各种形状和大小的药。

它们五颜六色，各不相同，

有绿，有蓝，有棕，有红。

"好吧，"她说，"试试棕色的药丸。"

她拿起一粒，吃到了肚子里面。

"好吃！"她叫道，"实在好吃！"

每粒都包着巧克力。

她吃下五粒，十粒……

一直到吃光为止。

她把药丸吃得一粒不剩，

慢慢地从地板上站起身。

她停下。她打嗝。哎呀，我的妈！

她只觉得头昏眼又花。

小戈迪哪能知道为了啥，

因为没人告诉她。

原来老奶奶很不幸，

有便秘的老毛病。

每天晚上睡觉以前，

她要吃通大便的药丸药片。

她那些药尽管不同，

但是都医这毛病。

不管是红，是蓝，是绿，

都有很强的药力。

在所有的药当中，

要数外面包着巧克力的药丸最凶。

它的药力厉害非凡，

连老奶奶吃了都要打战。

正是因为这个道理，

她一年顶多只敢吃两次。

这就难怪小戈迪

开始感到人像发霉似的。

她的肚子里有东西在作怪，

咕噜咕噜响起来。

接着，天啊，肚子里头，

很厉害地轰隆轰隆！

轰隆轰隆响个没完，

响彻了整个房间！

连地板都震动不已，

墙上落下石灰、油漆。

紧接着是乒乓乒乓，

劈里啪啦，震耳地响。

（只听见隔墙有人说道：

"准是大雷雨来到！"）

这隆隆声没完没了，

窗子吧嗒吧嗒，一个灯泡爆掉。

小戈迪抱着肚子大吼：

"我的肚子不对头！"

我们真怕这件事情，

是这一年的大新闻。

肚子里在大声爆炸，

一个孩子怎能不害怕？

奶奶两点半回家来，

喝了酒有点摇摇摆摆，

但即使如此还是看见，

空药瓶在地板上面。

"我宝贵的通大便药！"她大叫。

"我觉得难受死了。"小女孩答道。

"这我一点不奇怪！"

奶奶摇头，简直气坏，

"你就不能不动它？"

说着她去打电话。

她喊道："请马上派救护车来！

这里病了一个小女孩！

这里是丰特威尔街五十号！

再不来，我怕她的肚子会爆掉！"

我们断定你不愿听，

关于医院的事情，

他们怎样做各种手术，

使用胃唧筒和橡皮箍。

让我们回答你想知道的事吧：

小戈迪是活着还是死啦？

医生们围在床边。

"希望不大。"他们发表意见。

"她快要死，快要死……噢，死了！"他们叫道，

"她情况危急，她死了，死掉！"

"我自己倒不觉得。"女孩子回答，

马上把眼睛睁大。

她睁大蓝色的大眼睛，叹了口气，

向焦急的医生们把眼睛眯眯：

"我想我会痊愈。"

小戈迪真活了下来，

先是回到肯特奶奶的住宅。

第二天她的爸爸来接她，

用汽车把她带回在多弗的家。

但是小戈迪的命虽然保住，

麻烦却远远没有结束。

要知道，如果一个人，

过量吃了危险的药品，

他就一定，唉，

会有后遗症留下来。

我们真感到难过，

要说出小戈迪所受的折磨。

因为这种倒霉的药，

吃过量了很糟糕，

它进入骨头和血液，

搞乱她的染色体，

它使她一辈子难受，

对它可一点办法也没有，

没有办法使这该死的东西，

离开她的身体。

于是这小女孩十分悲惨，

每天要有七个钟头时间，

离不开那个……那个……

那个……那个……厕所。

而厕所这一种地方，

待着总不会叫人心情愉快。

因此趁还来得及，

千万别学小戈迪。

请别开玩笑，认认真真，

在胸前画个十字保证：

绝对不自己随意动手，

从药架上把药拿走。

16　维他旺卡和负数人地带

"现在看你了，我的小查理，"旺卡先生说，"这是你的工厂。我们是让你的乔治娜姥姥等上两年呢，还是想办法马上把她找回来？"

"你真认为你有办法把她找回来吗？"查理叫道。

"不妨一试……如果你想的话。"

"想！我当然想！特别是为了妈妈！你没有看到她有多么伤心吗？"

巴克特太太坐在大床边，用一条小手帕揉着她的眼睛。"我可怜的老妈妈，"她不断地说，"她负两岁，即使最后还能见到她，但我将几个月几个月几个月看不到她了。"在她后面，约瑟夫爷爷正在一位奥帕—伦帕人的帮助下，用奶瓶在喂他的只有三个月大的太太约瑟芬奶奶喝牛奶。在他们旁边，巴克特先生正在用羹匙喂一岁大的乔治姥爷吃所谓"旺卡婴儿奶糕"！但它大都流到了他的下巴上和胸前。

“大好佬！”巴克特先生生气地咕哝说，“这真是倒了大大大霉！以为到巧克力工厂要过好日子，结果却要给岳父当保姆。”

“一切都恢复正常了，查理，”旺卡先生看着这番情景说，“他们干得很好。这里不再需要我们了。走吧！我们去找乔治娜姥姥！”他抓住查理的一个手臂，蹦跳着，把他拉到大玻璃升降机开着的门里去。“快点，我的好孩子，快点！”他叫道，“如果我们想抢先赶到那里，我们就得赶紧一点！”

“抢先赶在什么事情之前啊，旺卡先生？”

“当然是在她被减掉之前！所有负数都要被减掉！你连这么简单的算术也不懂吗？”

他们现在已经在升降机里，旺卡先生正在几百个按钮中找出他要的那个。“有了，在这里！”他说。他用一个手指轻快地按下一个象牙色小按钮。按钮上面写着：**负数人地带**。

升降机的门轻轻关上。在可怕的咝咝声和呼呼声中，巨大的升降机向右飞走，查理抓住旺卡先生的腿，紧紧抓住不放。旺卡先生从墙上拉下一张折叠椅说："坐下来吧，查理，快，紧紧拴上安全带！这一路上将十分艰苦！"座位两边有带子，查理把它们紧紧扣上。旺卡先生也给自己拉下一张折叠椅，同时拴上了安全带。

"我们下去要走很长的路，"他说，"噢，我们下去要走的路是多么长啊。"

升降机在加速。它转来转去，猛转向左，又猛转向右，再猛转向左，但一直在下去……下去，下去，下去。"但愿我那些奥帕—伦帕人今天没有使用另一架升降机。"旺卡先生说。

"什么另一架升降机？"查理问道。

"和这架升降机同一条路线，但方向相反。"

"天啊，旺卡先生！你是说我们会相撞吗？"

"直到现在为止我运气好，两架升降机还没有相撞过，我的孩子……哦，朝外面看看吧！快！"

查理望向窗外，只见外面像是一个巨大的石坑，有陡峭粗糙的棕色岩壁，岩壁上满是奥帕—伦帕人，足有千百名，拿着鹤嘴锄和镐正在干活。

"冰糖，"旺卡先生说，"这里是世界上冰糖蕴藏量最丰富的地方。"

升降机飞降而下。"我们愈下愈深了，查理，愈下愈深了。我们已经飞下来约二十万英尺。"外面掠过奇怪的景色，但升降机的下降速度快得惊人，查理只偶然看到点什么。有一次他似乎看见远处有一簇小房子，形状像倒扣的杯子，房屋间有街道，奥帕—伦帕人还在街上行走呢。又有一次他们经过一个红色的广阔平原，上面有一点一点的东西，看上去很像油塔。在这里他看见一股棕色液体从地面喷出来，喷得很高。"喷井！"旺卡先生拍手大叫，"一

个巨型喷井！多么了不起！我们正好需要它！"

"一个什么？"查理问道。

"我们又开出巧克力来了，我的孩子。那将是一个蕴藏量丰富的巧克力田。噢，多么美丽的喷井啊！看看它喷出来的巧克力吧！"

升降机更加笔直地向下俯冲，发出轰隆轰隆的声音。千百处惊人景色在窗外掠过。其中有正在旋转的嵌齿巨轮，有正在搅拌的搅拌器，有噼噼啪啪响的泡泡，有广阔的太

妃苹果树果园，有足球场那么大的满是蓝色、金色、绿色液体的大湖，还有比比皆是的奥帕—伦帕人!

"你要明白，"旺卡先生说，"你先前跟那几个淘气孩子一起参观的工厂，只不过是这大企业的一小角。这里下去还有许多英里。一有机会，我将带你下来慢慢地仔细参观。这样参观一次要花上三个星期的时间。现在我们有别的事情要考虑，我有要紧的事情要告诉你。你留心听我说，查理。我必须说得快，因为还有两分钟我们就到了。"

"我想你已经猜到，"旺卡先生说下去，"我试验旺卡维他时，试验室里那些奥帕—伦帕人都发生了什么事。你一定已经猜到，他们消失了，成了负数人，就跟你的乔治娜

姥姥一样。由于配方用药太重，其中一个奥帕—伦帕人竟负了八十七岁！你试想一下！"

"你是说他要过八十七年才能回来吗？"查理问道。

"正是这件事使我担心。总而言之，一个人不能让他最好的朋友变成悲哀的负数人，等上八十七年……"

"而且被减掉，"查理说，"那太可怕了。"

"当然可怕，查理。我怎么办呢？'威利·旺卡，'我对自己说，'既然你能发明旺卡维他使人变年轻，你一定也能发明一种药使人变年老！'"

"对！"查理叫道，"我明白你在研究什么了。这样你就能很快地把负数人变成正数人，把他们重新带回来。"

"一点不错，我亲爱的孩子，一点不错——我一直认为，我能找出负数人都到哪里去了！"

升降机笔直地向着地心俯冲。现在外面一片漆黑，什么也看不见。

"就这样，"旺卡先生说下去，"我又一次卷起衣袖动手工作。我又一次绞尽脑汁寻求新的配方……我必须创造年岁……使人变老……老，更老，最老……'哈哈！'我叫

道，因为开始来主意了，'世界上最老的生物是什么？什么东西比任何别的东西活得更长？'"

"树。"查理说。

"你说对了，查理！但哪一种树？不是黄杉，不是橡树，也不是雪松。不是，不是，我的孩子，是一种叫芒果松的树，它生长在美国内华达州惠勒峰的斜坡上。你今天还可以在惠勒峰上找到这种芒果松，它们的树龄在四千年以上！这是真的，查理。你高兴的话，可以去问随便哪一位树木年代学家。（回家以后请你翻阅词典，查查这么一个词好吗？）我就这样开始了。我跳上大玻璃升降机，周游列国去收集各种现存的最古老的东西……"

　　一品脱有四千年树龄的老芒果松的树液

　　一个曾被一百六十八岁高龄的俄国老农民彼特罗
　　　　维奇·格列高罗维奇用过的脚趾甲钳

　　一只由汤加国王养的二百岁老乌龟生的蛋

　　一匹五十一岁的阿拉伯老马的尾巴

　　几根三十六岁的老猫"烤圆饼"的须

一只在那只老猫身上活了三十六年的老虱子

一条二百零七岁的西藏特大老鼠的尾巴

一只在墨西哥波波卡特佩特火山山洞中生活了九
　　十七年的老猫的黑牙齿

一头七百岁的秘鲁杂种牛的关节骨……

"查理，我走遍了全世界追踪古老动物，从它们身上取
一点要紧东西———一根头发或者一根眉毛，有时候不到一
两盎司的污垢，是趁这些动物睡着时从它们的脚趾缝里刮
下来的。我跟踪过美洲旱獭、食米鸟、蝌蚪蛙、巨型花体、
蜇人鼻涕虫和能在五十码以外把毒液喷到你眼睛上的毒虫。
但现在没有时间跟你细说了，查理。让我赶快说出结果吧。
我在发明室里把这些东西混合烹调，又不断试验，制造出
一小杯黑色的油质液体，并给一位勇敢的二十岁奥帕—伦
帕志愿者服用了四滴，看会发生什么事情。"

"发生什么事情了？"查理问道。

"也真叫人吃惊！"旺卡先生叫道，"他一吃下去，全
身皮肤开始皱缩，头发和牙齿开始掉落，我还没有弄明白，

他已经一下子变成一位七十五岁的老人！我亲爱的查理，维他旺卡就这样被发明出来了！”

"你把所有那些奥帕—伦帕负数人都救出来了吗，旺卡先生？"

"一个不少，全救出来了，我的孩子！一共一百三十一人！告诉你，说起来容易，做起来就难了。过程中有许多障碍和复杂事情……天啊！我们差不多到了！现在我必须住口，看准我们要去的地方。”

查理注意到升降机不再急剧下降和隆隆作响。它现在根本不怎么动了，似乎在飘着。"解开你的安全带吧，"旺卡先生说，"我们必须准备好行动了。"查理解开了安全带，站起来往外看。这是一种奇异的光线。他们正飘荡在一层灰色的浓雾中。雾像被来自四面八方的风吹着，在他们身边沙沙地旋转。远处雾色更黑，几乎是漆黑的，旋转得也似乎特别厉害。旺卡先生把升降机的门轻轻打开。"站在里面！"他说，"千万不要跌出去，查理！"

雾冲进升降机。它带着一股地洞的霉味。周围静得要命，没有一点声音，没有风声，也没有虫兽的声音。这样站在非人世的空虚之中，使查理产生一种奇怪的恐怖感觉——他好像置身于另一个世界，在一个从来没有过人迹的地方。

"查理，这里就是负数人地带！"旺卡先生悄悄地说，"现在的问题是要把乔治娜姥姥找到。我们可能走运……但我们也可能不走运！"

17 在负数人地带救乔治娜姥姥

"我一点也不喜欢这个地方,"查理轻轻地说,"它使我的神经极度紧张。"

"我也是,"旺卡先生轻轻地回答,"但是我们有任务,查理,我们必须完成它。"

这时候雾凝聚在升降机的玻璃墙壁上,除了门口,很难看到外面。

"这里有别的生物吗,旺卡先生?"

"有许多格努利。"

"它们危险吗?"

"如果咬你,那是很危险的。被格努利咬上一口,我的孩子,你就完了。"

升降机继续飘行,轻轻地摇来摇去。灰黑色的油雾在他们周围打转。

"格努利看上去是什么样子的,旺卡先生?"

"根本没有办法形容它们是什么样子，查理。格努利是不会让你看见的。"

"你是说你从来没有看见过格努利？"

"孩子，格努利根本看不见，甚至感觉不到……除非它们蜇了你的皮肤……到那时就太晚了，因为它们已经找上了你。"

"你是说……就在这个时候，可能有一群一群的格努利正在我们的四周吗？"查理问道。

"可能吧。"旺卡先生说。

查理马上觉得他的皮肤开始痒起来。"要是让它们咬了一口，我会马上死去吗？"他又问。

"你先被减掉，过一会儿才被除掉，但很慢很慢……过程很长，把你除掉，需要很长时间，而且非常痛苦。最后你就成了它们的一分子。"

"我们不能关上门吗？"查理问道。

"不能，我的孩子。透过玻璃我们将永远看不到乔治娜姥姥。因为雾太大，湿气太重，把她找出来可不是一件容易的事。"

查理站在升降机开着的门口，看着旋转的气流。他想："地狱一定就是这个样子的……这是一个不热的地狱……这里有一种不圣洁的东西，有一种令人难以相信的鬼域东西……一片死寂，是那么凄凉、空虚……"雾气不断翻腾、旋转，使人感到一种非常强大和邪恶的力量正在周围活动……查理感到手臂上被戳了一下！他跳起来，几乎跳出了升降机！"对不起。"旺卡先生说，"不过是我罢了。"

"噢！"查理气都透不过来，"我还以为是……"

"我知道你以为是什么，查理……再说，我非常高兴你是和我在一起。你会愿意一个人来吗？就像我从前来那样……就像我曾经不得不多次到这里来那样？"

"我不愿意。"查理说。

"乔治娜姥姥就在那里！"旺卡先生指着某个地方说，"不对，不是她……噢，天啊！我可以发誓，我是见了她一眼，就在那儿一抹黑暗的边上。留神看着，查理。"

"那边！"查理说，"就在那边！看！"

"在哪里？"旺卡先生说，"指给我看，查理！"

"她……她又不见了。好像是隐没了。"查理说。

他们站在升降机开着的门旁，朝旋转着的灰雾里仔细看着。

"快看！就在那边！"查理叫道，"你没有看见她吗？"

"看见了，查理！我看见她了！让我们靠近她！"

旺卡先生走到查理背后，开始按动几个按钮。

"乔治娜姥姥！"查理叫道，"我们来救你了，乔治娜姥姥！"

他们透过浓雾可以隐隐约约看见她，但是太模糊了。他们也能够透过她看见浓雾。乔治娜姥姥根本不可能在那里，因为她只是一个影子。他们看见她的脸，但只看到她披着睡袍的身体的最模糊轮廓。她不是直立着，而是躺在旋转的气流中飘来飘去。

"她为什么躺着？"查理悄悄地问道。

"因为她是个负数人，查理。你一定知道负数符号是什么样子的……它的样子是……"旺卡先生用手指在空中画了一条横线。

升降机滑过去。乔治娜姥姥脸部的模糊影子距离他们顶多只有一码。查理把手伸出门口去摸她，但是什么也没

有摸到。他的手通过她的皮肤。"乔治娜姥姥!"他透不过气来,乔治娜姥姥开始飘开去了。

"站回来!"旺卡先生吩咐道,然后从他的燕尾服里面拔出一支喷枪。这是一种老式东西,在喷雾剂发明以前,人们是用它在房间里喷射灭蝇药水的。他把这喷枪对准乔治娜姥姥的影子,用力按枪柄:一下、两下、三下!每按一下,就有一股黑色液体从枪口喷出去。乔治娜姥姥马上不见了。

"射中靶子了!"旺卡先生兴奋地蹦跳着大叫,"两个枪管都射中她了!我给她加足了岁数!这就是维他旺卡起的作用!"

"她到哪里去了?"查理问道。

"她从哪里来,当然就回到哪里去!她到工厂里去了!她再也没有负数了,我的孩子!乔治娜姥姥已经是百分之百的有热血的人,她的岁数是正数!现在进来吧!趁格努利还没有找到我们,赶紧离开这里!"旺卡先生按下一个按钮,门马上关上,大玻璃升降机飞也似的上升,向上飞回家去。

"坐下来扣好安全带，查理！"旺卡先生说，"这一次我们直飞出去！"

升降机轰隆轰隆地冲向地面。旺卡先生和查理并排坐在他们的小折叠椅上，安全带拴得紧紧的。旺卡先生把喷枪放回燕尾服的大口袋。"真遗憾要用这种笨拙的古老东西。"他说，"但除此以外就没有其他办法。最理想的当然是量出准确的滴数，用茶匙小心地灌到她的嘴里去。但喂负数人吃东西是不可能的，这样做就和喂自己的影子吃东西一样。因此我只好用喷枪喷她的全身，我的孩子！只有这个办法！"

"不过效果很好，对吗？"查理说。

"噢，效果不错，查理！效果好极了！我要说明的是，我的用量只好过头一点……"

"我不太明白你的意思，旺卡先生。"

"我亲爱的孩子，要使一个年轻的奥帕—伦帕人变成老头子，用四滴维他旺卡就够了……"旺卡先生举起双手，又让它们软弱无力地落到膝盖上。

"你是说乔治娜姥姥可能吃得过多了吗？"查理问道，

脸都有点发青了。

"我怕这样说还是客气的。"旺卡先生说。

"不过……不过既然这样，你为什么给她那么多呢？"查理说，他愈来愈担心了，"为什么你喷她三次？她一定吃进了许多许多品脱！"

"好几加仑！"旺卡先生拍着他的大腿叫道，"几加仑又几加仑！但是你用不着担心，我亲爱的查理！重要的是我们让她回家了！她的岁数不再是负数了！她是一个可爱的正数人！"旺卡先生接着说：

她的岁数已经恢复正数，

跟你的和我的岁数一般！

问题是不知道

她现在的岁数是多少？

会不会是不止一百零三？

18　世界上最老的人

"我们胜利归来了，查理！"当大玻璃升降机开始慢下来时，旺卡先生叫道，"你又和亲爱的家人团聚了！"

升降机停下来，门轻轻地打开。这里又是巧克力车间、巧克力河、奥帕—伦帕人，当中还有几位老人家的那张大床。"查理！"约瑟夫爷爷叫着跑过来，"谢天谢地，你回来了！"查理拥抱他，接着拥抱他的妈妈和爸爸。"她在这里吗？"他说，"我是说乔治娜姥姥。"

没有一个人回答，也没有一个人动一动，除了约瑟夫爷爷，他指了指床。他只是指，却看也不看他指的地方。没有一个人朝床上看——只除了查理。他走过他们身边，到床边去看个清楚。他看见床的一头是两个婴孩——约瑟芬奶奶和乔治姥爷，他们缩着身子，睡得很安静。可是在另一头……

"不要害怕。"旺卡先生说着跑过来，把一只手放在查理的手臂上，"她只是岁数大了点。这件事我已经跟你说过了。"

"你把她怎么样了？"巴克特太太叫道，"我可怜的老妈妈！"

就在床的这一头，枕头上靠着查理有生以来从未见过的最古怪的东西！这是古化石吗？但不可能，因为它微微在动！现在它发出声音来了！呱呱！呱呱！一只老透了的青蛙如果会说话，它发出的声音就是这样的。"好啊，好啊，好啊！"它呱呱地说，"这不是亲爱的查理吗？"

"乔治娜姥姥！"查理叫道，"乔治娜姥姥！噢……噢……噢！"

她那张小脸活像腌核桃肉，上面的皱纹那么多，嘴、眼睛，甚至鼻子都几乎陷在里面看不见了。她的头发全白，放在毯子上的双手只是两堆皱皮肤。

这个古生物的出现看来不仅吓坏了巴克特先生和太太，也吓坏了约瑟夫爷爷。他们后退着离开床边，只有旺卡先生照旧兴高采烈。"我亲爱的老太太！"他叫着走向床边，用双手握住她的一只满是皱纹的小手，"欢迎你回家来！在这阳光灿烂的日子里，你感觉如何啊？"

"还不错。"乔治娜姥姥呱呱地说，"实在不算坏……既

然我都到了这把年纪。"

"很好!"旺卡先生说,"好极了,我们现在只要弄明白你准确的岁数就行!然后可以采取下一步措施!"

"你不要再采取什么下一步措施了。"巴克特太太抿紧嘴唇说,"你坏事已经做得够多了!"

"可是我亲爱的老糊涂。"旺卡先生向巴克特太太转过身来说,"这位老女孩稍微老了点又有什么关系?我们一转眼工夫就能把这件事改正!你忘记了旺卡维他吗?每一粒药丸能使人年轻二十岁。我们会使她回复年轻！我们能在一刹那间就使她变成妙龄少女！"

"那有什么用处？她的丈夫还没有离开他的尿布。"巴克特太太指着正在安然睡着的一岁的乔治姥爷说。

"太太"，旺卡先生说，"事情我们只好一件一件做……"

"我不许你再给她吃那种可怕的旺卡维他。"巴克特太太说，"你又会把她的岁数变成负数的，这和我这个人正站在这里一样的确凿无疑！"

"我不要让我的岁数再变成负数！"乔治娜姥姥呱呱地说，"我要是再回到那可怕的负数人地带，那些格努利会把我害惨的！"

"不要怕！"旺卡先生说，"这一次我亲自监督服药，我要亲自看着让你服用正确的药量。不过你现在要留心听好！我先要知道你有多大岁数，才能算出应该给你吃几粒药丸！这是显而易见的，对吗？"

"根本不是显而易见。"巴克特太太说，"为什么你不能一次给她吃一粒，一次一次地给，这样可以安全点！"

"这不行，太太。遇到这种极其严重的情况，少量旺卡维他不起任何作用。要吃多少必须一次吃足。重症必须用重药。吃一粒药丸只会使她病情恶化。她的情况太严重了。要么给足，要么干脆不给。"

"不行。"巴克特太太坚持说。

"行！"旺卡先生说，"亲爱的太太，请你听我说。假定你头痛得很厉害，需要吃三片阿司匹林才能治好，你却一次只吃一片，吃下去等四个小时看效果如何再吃第二片，那就一点用处也没有。这样病永远治不好。你必须把三片一次吃下去。旺卡维他也一样。我可以动手了吗？"

"噢，那好吧，我想你必须动手。"巴克特太太说。

"好！"旺卡先生说着，跳了起来，在空中转了一圈，"现在你说，我亲爱的乔治娜姥姥，你几岁了？"

"我不知道，"她呱呱地说，"我早就记不清了。"

"你一点印象也没有吗？"旺卡先生说。

"当然没有。"老太太喃喃地说，"如果你上了我这个年纪，你也不会有的。"

"想一想吧！"旺卡先生说，"你必须好好地想一想！"

"老太太那皱巴巴的小核桃脸这时皱得更厉害。其他人站在那里等着。奥帕—伦帕人全都被她这古生物的样子给吸引住，向大床愈挨愈近。两个婴孩只管睡他们的觉。

"比方说，你有一百岁了吗？"旺卡先生说，"或者是一百一十岁？或者是一百二十岁？"

"没有用。"她呱呱地说，"我从来没有数学头脑。"

"真是个大灾难！"旺卡先生叫道，"你说不出岁数，我就没有办法帮助你！我不敢冒险多用药！"

一片愁云惨雾笼罩着所有的人，包括旺卡先生本人，在他来说这还是第一次。"这一次你没有办法了，对吗？"巴克特太太说。

"乔治娜姥姥，"查理走到床边说，"你听我说，乔治娜姥姥，你的准确岁数不用担心。还是试着回想一些你遇到过的事情吧……想想你遇到过什么事情……你喜欢的事情……事情愈久愈好……这会帮助我们……"

"我遇到过许许多多事情，查理……我遇到过的事情太多了……"

"你能想起一些来吗，乔治娜姥姥？"

"噢，我不知道，我的小宝贝……如果我拼命地想，或许能想起一两件……"

"好，乔治娜姥姥，很好！"查理焦急地说，"现在说吧，在你的记忆中，最早发生的一件事情是什么？"

"噢，我的乖孩子，那得回到多少个年头以前去啊？"

"回到像我这样小的时候，乔治娜姥姥，你不记得你小时候做过什么事情了吗？"

陷在皱纹里的黑色小眼睛微微闪光，几乎看不见的小嘴的嘴角绽出一丝笑意。"一艘船，"她说，"我记得一艘船……我永远忘不了那艘船……"

"说下去吧，乔治娜姥姥！一艘船！一艘什么样的船？你坐过这艘船吗？"

"我当然坐过，我的小宝贝……我们都坐过……"

"从哪里开来，开到哪里去？"查理焦急地问。

"噢，不行，我说不上来……当时我还只是个小女孩……"她向后靠在枕头上闭上眼睛。查理看着她，等着她说下去。大家也等着，没有一个人动一动。

"它有一个美丽的名字，我说的是那艘船……这船名叫人想起一样很美丽的东西……这东西太美丽了……不过当然，我已经记不起来……"

坐在床边的查理忽然跳起来，他神采飞扬地说："如果我说出来，乔治娜姥姥，你会记起来吧？"

"我会的，查理……不错，我想我会的……"

"五月花！"查理叫道。

老太太的头离开枕头抬起来。"就是这个名字！"她呱呱地说，"你说对了，查理！'五月花'号……多么美丽的名字啊……"

"爷爷！"查理叫着，高兴得跳起舞来，"'五月花'号是哪一年开到美洲的？"

"'五月花'号在一六二零年九月六日离开普利茅斯港。"约瑟夫爷爷说。

"普利茅斯……"老太太喊了出来，"它还打钟……对，它当然是普利茅斯……"

"一六二零年！"查理叫道，"噢，我的天！那就是说你……你算算吧，爷爷！"

"好！"约瑟夫爷爷说，"一九七二减去一六二零，剩

下……别催我，查理……剩下三百……五十二。"

"蹦蹦跳跳的长耳朵大野兔！"巴克特先生大叫，"她三百五十二岁！"

"还不止，"查理说，"乔治娜姥姥，你坐'五月花'号的时候，你说你几岁了？大概八岁吧？"

"我想比这小一点，我的小宝贝……我只是个一点儿大的小女孩……不会超过六岁……"

"她是三百五十八岁！"查理叫得连气都透不过来了。

"这是维他旺卡对你起的作用。"旺卡先生自豪地说，"我跟你们说过，这是威力最大的药丸。"

"三百五十八岁！"巴克特先生说，"怎么会呢？真叫人无法相信！"

"试想想她一生见过的事情吧！"约瑟夫爷爷说。

"我可怜的老妈妈！"巴克特太太哭叫道，"怎么……"

"忍耐一下，亲爱的太太。"旺卡先生说，"现在到了有趣的时候了。把旺卡维他拿来！"

一个奥帕—伦帕人拿着一个大瓶子，交给旺卡先生，旺卡先生把瓶子放在床上。"她想要几岁？"旺卡先生问道。

"七十八岁。"巴克特太太坚决地说,"回到所有这些乱七八糟的事情发生以前的岁数!"

"她一定希望稍微年轻一点吧?"旺卡先生说。

"当然不!"巴克特太太说,"太冒险了!"

"太冒险了,太冒险了!"乔治娜姥姥呱呱地叫,"如果你自作聪明,只会又使我的岁数变成负数!"

"那就照你自己说的办吧。"旺卡先生说,"好,我先要做点算术。"另一个奥帕—伦帕人跑上前,举起一块黑板。旺卡先生从衣袋里拿出一支粉笔写道:

现在的岁数 … 358

希望得到的岁数 … 78
（应减去）

必须去掉的岁数 =280

如果每粒旺卡维他使人年轻20岁,那么用280除以20将得到

应服粒数 ：20)280 14

"正好需要十四粒旺卡维他药丸。"旺卡先生说。那个奥帕—伦帕人把黑板拿走以后，旺卡先生从床上拿起药瓶，打开它，取出十四粒闪亮的黄色小药丸。"拿水来！"他说。另一个奥帕—伦帕人拿着一杯水跑上前来。旺卡先生把十四粒药丸全倒进玻璃杯，水冒起泡沫。"趁它咝咝地响快喝下去。"他说着把玻璃杯送到乔治娜姥姥嘴边，"一口气全喝下去！"

喝下去了。

旺卡先生向后一跳，从衣袋里掏出一个大铜表。"不要忘记，"他叫道，"一秒钟一岁！她要减去二百八十岁，那就需要四分四十秒！请看她是怎样倒回去两个多世纪的！"

房间里静得可以听到旺卡先生那个表在滴答滴答地响。最初，躺在床上的那位老古人没有多大反应。她闭着眼睛躺回到枕头上，脸上皱巴巴的皮肤不时抽搐，小手上下抽动，但仅仅是这样……

"一分钟过去了！"旺卡先生叫道，"她已经年轻了六十岁。"

"我看她还是老样子。"巴克特先生说。

"当然啦！"旺卡先生说，"从三百多岁开始倒回来，六十岁算得了什么呢？"

"你好吧，妈妈？"巴克特太太焦急地说，"跟我说话呀，妈妈！"

"两分钟过去了！"旺卡先生叫道，"她已经年轻了一百二十岁了！"

现在老太太的脸有了明显的变化。她全身的皮肤在颤动，一些最深的褶子开始变得没有那么深了，嘴角没有那么凹陷，鼻子也更清楚了。

"妈妈！"巴克特太太叫道，"你没事吧？对我说话呀，妈妈，求求你！"

突然，突然得使所有的人跳起来，老太太在床上坐直身体叫道："你们听到这桩新闻了吗？纳尔逊统帅在特拉法尔加角打败了法国人！①"

"她疯了！"巴克特先生说。

"不，"旺卡先生说，"她将要度过整个十九世纪。"

"三分钟过去了！"旺卡先生说。

她现在一秒钟比一秒钟显得不那么皱缩，人变得愈来

---

① 1850 年 10 月 21 日英国海军统帅纳尔逊在西班牙的特拉法尔加角打败了法国海军。

愈精神，看着真是个奇观。

"葛底斯堡！[①]"她叫道，"李将军在逃走！"

几秒钟后她号啕大哭，说："他死了！他死了！"

"谁死了？"巴克特先生向前俯下身去问她。

"林肯！[②]"她哭叫道，"火车在开……"

"她一定看到了！"查理说，"她一定在那里！"

"她是在那里，"旺卡先生说，"至少几秒钟前她是在那里。"

"谁可以给我解释一下，"巴克特太太说，"这到底是怎么一回事？"

"四分钟过去了！"旺卡先生说，"现在只剩下四十秒了！只有四十多岁要减了！"

"乔治娜姥姥！"查理跑上前来叫道，"你看起来几乎和原先一模一样！噢，我太高兴啦！"

"但愿照预定时间停止。"巴克特太太说。

"我打赌不会，"巴克特先生说，"做事总会出错的。"

[①] 美国南北战争关键性的葛底斯堡战役发生在1863年7月1日至3日，南军指挥李将军大败。
[②] 1865年4月14日夜美国总统林肯在戏院中被刺，翌日凌晨去世。

"有我负责就不会，巴克特先生。"旺卡先生说，"时候到了！她现在是七十八岁！你觉得怎么样，亲爱的老太太？一切都好吗？"

"还可以，"她说，"还算可以。但是我不会感谢你，你这瞎搞的老鲭鱼！"

她又来了，那个老样子的坏脾气的乔治娜姥姥。在这一切发生之前，查理对她太熟悉了。巴克特太太张开双臂抱住她，高兴得哭起来。老太太把她推开说："我可以问一声吗，床头那个傻宝宝在干什么？"

"他们当中的一个是你的丈夫。"巴克特先生说。

"胡说八道！"她说，"乔治在哪里？"

"这是真的，妈妈。"巴克特太太说，"左边的一个就是他，另一个是约瑟芬……"

"你……你这个干酪汉堡包骗子！"她用手指狠狠地指着旺卡先生叫道，"为了什么……"

"好了，好了，好了，好了，好了！"旺卡先生说，"这么晚了，谢天谢地，请不要再争吵。如果大家保持冷静，把这件事交给查理和我处理，我们将会很快使他们恢复原状！"

19 婴儿们长大了

"把维他旺卡拿来！"旺卡先生说，"我们很快就能使这两个婴儿恢复原形。"

一个奥帕—伦帕人拿着一个小瓶子和两把银茶匙跑上前来。

"等一等！"乔治娜姥姥叫住他，"你现在又要干什么鬼把戏了？"

"没什么，乔治娜姥姥，"查理说，"我向你保证不会出事。维他旺卡的作用和旺卡维他的作用正好相反，它使人变老。你的岁数是负数时，我们给你喷的正是这种药。它救了你！"

"你们给我太多了！"那老太太生气地说。

"我们只能这样做，乔治娜姥姥。"

"现在你们又要同样对待乔治姥爷吗？"

"我们当然不会。"查理说。

"我变成了三百五十八岁！"乔治娜姥姥说下去，"有什么能使你们不犯另一个小错误，结果给他的比给我的还多五十倍呢？这一来床上就有两千岁的穴居人在我身边了！想象一下这种情景吧，他一只手握住一根有节的大棒，另一只手抓住我的头发把我拉来拉去！不，谢谢了！"

"乔治娜姥姥，"查理耐心地说，"对你我们只好用喷枪喷药水，因为你当时的岁数是负数，你是一个幽灵。但在这里，旺卡先生可以……"

"不要在我面前提这个家伙！"她叫道，"他坏得像一只牛蛙！"

"不对，乔治娜姥姥，旺卡先生一点也不坏。在这里他能够一滴一滴地量出准确剂量，把药水灌到他的嘴里去。是这样吗，旺卡先生？"

"查理，"旺卡先生说，"我已经看到，在我退休以后，工厂将由一个能干的人来经营。你学得非常快。我很高兴选中了你，我亲爱的孩子，我实在太高兴了。现在决定怎么办？就让他们去做婴儿呢，抑或用维他旺卡使他们长大起来？"

"你动手干吧，旺卡先生。"约瑟夫爷爷说，"我希望你把我的约瑟芬变得和原先一模一样——八十岁。"

"谢谢你，约瑟夫爷爷。"旺卡先生说，"谢谢你对我的信任，但另外一个怎么办？我指的是乔治姥爷。"

"噢，那么好吧。"乔治娜姥姥说，"但他如果变成穴居人，我就不要他再睡在这张床上！"

"就这样决定吧！"旺卡先生说，"来，查理！我们把他们两位一起处理。你拿一把羹匙，我拿一把羹匙。我在每一把羹匙里滴四滴，只滴四滴然后我们叫醒他们，把药水灌到他们的嘴里去。

"我灌谁呢，旺卡先生？"

"你灌约瑟芬奶奶，那个小的。我灌一岁的乔治姥爷。这把羹匙给你。"

查理接过羹匙，把它伸出来。旺卡先生打开瓶子，在查理的羹匙里滴了四滴黑色的油状液体，又在自己的羹匙里也滴了四滴。接着他把瓶子还给了奥帕—伦帕人。

"你灌药水的时候，要有个人抱住婴儿吧？"约瑟夫爷爷说，"让我来抱约瑟芬。"

　　"你疯了！"旺卡先生说，"你不知道维他旺卡马上就起作用吗？它不像旺卡维他那样一秒钟等于一岁。维他旺卡的功效快如闪电！药水一吞下去，砰的一下，全变好了，长大和变老一秒钟内全部完成！你明白吗，我亲爱的约瑟夫爷爷？"他对约瑟夫爷爷说，"现在你抱的是个小婴儿，但下一秒钟你却要跌跌撞撞站不住，手里抱的是位八十岁的老太太。你会把她像一堆砖头似的扔到地板上去！"

　　"我明白你的意思了。"约瑟夫爷爷说。

"都准备好了吗，查理？"

"准备好了，旺卡先生。"查理绕过床，走到睡着的小婴儿旁边。他用一只手抵住她的头，把它抬起来。婴儿醒了开始哇哇叫。旺卡先生在床的另一边，对一岁的乔治姥爷同样这么办。"现在开始了，查理！"旺卡先生说，"一、二、三！灌下去！"查理把他的羹匙放到婴儿的嘴里，把药水灌下了她的喉咙。

"看着让她把药水咽下去！"旺卡先生叫道，"药水要到了肚子里才会起作用！"

接下来发生的事很难讲清楚，不管怎么说，一共只有一秒钟。一秒钟的时间相当于你很快地大声说"一二三四五"的工夫。就在这么短的时间里，查理眼看着那小婴儿膨胀，长大，长出皱纹，变成了八十岁的约瑟芬奶奶。整个过程真是叫人吃惊，就像是一次爆炸。一个小婴儿忽然变成了老太太！转眼间，查理面对着的是约瑟芬奶奶那张他熟悉和热爱、满是皱纹的老人脸。"你好吗，我的小宝贝。"她说，"你是从哪里来的？"

"约瑟芬！"约瑟夫爷爷叫着扑过来，"多么好啊！你回来了！"

"我可不知道我离开过。"她说。

乔治姥爷也成功恢复了原状。"你是个婴儿更好看。"乔治娜姥姥对他说，"不过我还是高兴你变回大人，乔治……就为了一个原因。"

"什么原因？"乔治姥爷问道。

"你不会再尿床了。"

20　怎样使人下床

　　"我肯定，"旺卡先生对乔治姥爷、乔治娜姥姥和约瑟芬奶奶说，"我百分之一百地肯定，经过这件事以后，你们三位现在一定想下床来帮忙经营这家巧克力工厂了。"

　　"你说谁，我们吗？"约瑟芬奶奶说。

　　"是的，说你们。"旺卡先生说。

　　"你疯了吗？"乔治娜姥姥说，"我就是要留在我这张舒适漂亮的床上，谢谢你了！"

　　"我也一样！"乔治姥爷说。

　　就在这时候，巧克力车间尽头处的一大群奥帕—伦帕人忽然骚动起来。响起兴奋和叽叽喳喳的说话声。他们跑来跑去，挥舞着手臂。当中有一个奥帕—伦帕人双手捧着一个大信封，向旺卡先生飞奔过来。他跑到旺卡先生面前，开始叽叽喳喳地说话。旺卡先生把腰弯得低低的听他说。

　　"在工厂大门外面？"旺卡先生大声说，"有人！是些什么人？对！不过他们的样子看上去危险吗……他们的行动危险吗……还有一样什么……一架直升飞机！这些人从飞机上下来？他们给了你这个？"

旺卡先生抓起那大信封，很快地撕开口，抽出里面一封折起来的信。他很快地看信时，大家保持沉默，一动不动。查理开始觉得冷，他知道要发生什么可怕的事情了。空气中无疑有一股危险的味道。大门外面的人、直升飞机、奥帕—伦帕人那副紧张的样子……他盯住旺卡先生的脸看，想在上面找到线索，找到表情的变化，从表情的变化就能知道，这消息到底糟糕到什么程度了。

"吹哨的牢骚鬼！"旺卡先生一声大叫，一跳蹦得半天高，落下来时腿站不住，跌了个脸朝天。

"喷鼻息的大好佬！"他叫着爬起来，把信挥来挥去，像在赶蚊子，"大家听听这封信！你们好好听着！"他开始大声读信：

华盛顿

白宫

威利·旺卡先生:

今天全国,实际上是全世界,一片欢腾,因为我们的太空运输船,上面载有一百三十六人,从太空安全归来了。如果不是得到一艘不知名的太空船的帮助,这一百三十六人将会永远回不来。我接到报告,这不知名的太空船上的八位宇航员所显示的勇敢是无与伦比的。我们的雷达站跟踪这艘返回地球的太空船,发现它降落在旺卡巧克力工厂这个地方。因此,旺卡先生,我们特地把这封信送交给你。

现在我希望表达全国对你的谢意,专诚邀请你们八位勇敢绝伦的宇航员作为我的贵宾,到白宫来小住几天。

我已经准备好今晚在蓝厅举行特别庆祝会,在会上我将亲自为八位勇敢的飞行员佩上奖章,以表彰你们的勇敢。国内有地位的名流均将出席这个庆祝会,并向这八位英雄致敬,他们的辉煌业绩将永远载入我国的史册。出席者包括副总统埃尔维拉·蒂布斯小姐、我的全体内阁成员、海陆空三军统帅、全体国会议员、阿富汗著名吞剑大师(他正在教我如何食言,办法是吞食剑的时候把 sword 的 s 从前面移到后面。^①)。还有谁呢？哦，对了，我的总翻译官、全国各州州长，自然还有我的猫——陶布茜猫太太。

我已派遣一架直升飞机在你的工厂大门外恭候你们八位。我本人此刻正怀着无比的欢心和耐心在白宫敬候你们的光临。

你们永远的最忠诚的朋友

美国总统 兰斯洛特·R·吉利格拉斯

又及：你能带给我一些旺卡开心牛奶巧克力软糖吗？我最爱吃这种糖，但在我这里周围的人从我的写字台抽屉里把糖偷去吃了。不过这件事情千万不要告诉阿姨。

旺卡先生把信读完了。在随之而来的一片寂静中，查理可以听到人们的呼吸声。他更听出来，大家的呼吸声比平时急促得多，不仅如此，空气中还盘旋着那么多感情和激情，那么多突然降临的欢乐，弄得他的头都打起转来了。最先开口的是约瑟夫爷爷："万万万万万万万万万岁！"

---

① 英文 sword 是剑的意思。把 S 移到后面便成为 words，即"言语"。

他欢呼起来，飞也似的跑过房间，抓住查理的双手两个人开始顺着巧克力河的堤岸跳舞。"我们终于可以去那里了，查理！"约瑟夫爷爷唱歌似的说，"我们终于可以去白宫了！"巴克特先生和太太也跳起舞来，哈哈大笑，高声歌唱。旺卡先生绕着房间跑，自豪地扬着手里的信给那些奥帕—伦帕人看。过了一分钟，旺卡先生拍了拍手请大家注意。"来吧！来吧！"他叫道，"我们绝对不能耽误时间！绝对不能！来吧，查理！还有你约瑟夫爷爷！还有巴克特先生和太太！直升飞机已经在大门外！我们不能让它等着！"旺卡先生开始把他们四个人向车间的门口赶。

"喂喂喂！"乔治娜姥姥从床上尖声急叫，"我们怎么样？不要忘记，我们也受到邀请！"

"信上说邀请我们全体八个人！"约瑟芬奶奶叫道。

"那也包括我！"乔治姥爷说。

旺卡先生回过头来看他们。"当然包括你们，"他说，"但是我们不可能把床也搬上直升飞机。它进不了直升飞机的门。"

"你的意思是说……你的意思是说，我们不下床就去不成吗？"乔治娜姥姥说。

"我正是这个意思，"旺卡先生说，"走吧，查理。"他轻轻地说，用手指关节顶了查理一下，"到门口去。"

忽然，他们后面传来了毯子和床单很响的簌簌声，还有床垫弹簧的砰砰声——三位老人家已经劈里啪啦下了床。他们一面跑着来追旺卡先生，一面哇哇大叫："等等我们！等等我们！"真是不可思议，他们在巧克力工厂地板上竟然跑得那么快。旺卡先生、查理和其他人站在那里惊奇地

看着他们。他们跑过小路，跳过矮树丛，就像春天的瞪羚，他们光着的腿在发亮，睡袍在身后飘拂。

约瑟芬奶奶忽然猛地刹住脚步，刹得太猛了，以致滑出了五码才停了下来。"等一等！"她急叫道，"我们一定疯了！我们可不能穿着睡袍上白宫去参加盛大的庆祝会！

总统要给我们一个个佩上奖章，我们可不能没穿好衣服就当着大家的面站在那里啊！"

"噢噢噢噢！"乔治娜姥姥哇哇叫道，"噢，我们可怎么办呢？"

"你们一件衣服也没有带来吗？"旺卡先生问道。

"当然没有！"约瑟芬奶奶说，"我们已经有二十年没下过床了！"

"我们去不成啦！"乔治娜姥姥哇哇叫，"我们只好留下来了！"

"我们不能上百货公司去买衣服吗？"乔治姥爷说。

"拿什么买？"约瑟芬奶奶说，"我们一点钱也没有。"

"钱！"旺卡先生叫道，"我的天，钱的事你们一点不用担心！那玩意儿我多得是！"

"听我说，"查理说，"我们为什么不请直升飞机在路上任何一家大百货公司的屋顶上停一停呢？那么，你们就可以要什么买什么了！"

"查理！"旺卡先生抓住他的手叫道，"没有了你我们还能做什么呢？你真了不起！大家来吧！大家上白宫去做

客吧！”

他们全都手挽着手，跳着舞走出巧克力车间，沿着走廊走出前门，来到广场。一架很大的直升飞机正靠近工厂的大门等着。一群表情非常庄严的先生走过来，向他们鞠躬致意。

“哎，查理，”约瑟夫爷爷说，“今天真是忙碌的日子。”

“这日子还没有完，”查理哈哈笑着说，“它甚至还没有开始呢。”